INTERPRETATIONEN

für Schule und Studium

Begründet von
Rupert Hirschenauer und Albrecht Weber,
fortgeführt von
Bernhard Sowinski und Helmut Schwimmer

Im gleichen Verlag erscheint
eine Reihe unter dem Titel

ANALYSEN ZUR DEUTSCHEN SPRACHE
UND LITERATUR

HEINRICH HEINE
REISEBILDER

Interpretationshinweise
von Gerd Heinemann

R. OLDENBOURG VERLAG MÜNCHEN

Vorbemerkung zur Zitierweise und Textgrundlage

Die Arbeit soll Hinweise und Hilfen für den Schulgebrauch
geben; als Textgrundlage dienen folgende Schullektüren:

- *Heine, Heinrich, Reisebilder,* Goldmanns Klassiker, KL 233, München
  o. J. – Sigle G, dann die Seitenzahl. Bei diesem Text sollte ein Druckfehler
  verbessert werden – auf der Seite 82 muß es heißen: Humaniora. Da dieser
  Band nicht das wichtige Werk ,,Ideen. Das Buch Le Grand" enthält, muß
  auf eine weitere Schullektüre verwiesen werden:
- *Heine, Heinrich, Ideen. Das Buch Le Grand,* Hrsg. Dierk Möller, Re-
  clams Universalbibliothek Nr. 2623, Stuttgart 1972 – Sigle R, dann Seitenzahl.

Drei weitere Texte werden nur mit Abkürzungen zitiert:

- *Heinrich Heines Sämtliche Werke,* ed. Ernst Elster, Leipzig 1887 ff., 7
  Bde. – Sigle E, dann Band- und Seitenzahl.
- *Heinrich Heine. Historisch-kritische Gesamtausgabe der Werke,* ed. Man-
  fred Windfuhr, Bd. VI: Briefe aus Berlin, Über Polen, Reisebilder I/II
  (Prosa), ed. Jost Hermand, Hamburg 1973 – Sigle DHA, dann Band- und
  Seitenzahl.
- *Heinrich Heine, Briefe,* ed. Friedrich Hirth, Mainz 1965, 2 Bde. – Sigle H,
  dann Band- und Seitenzahl.

CIP-Kurztitelaufnahme der Deutschen Bibliothek

Heinemann, Gerd:
Heinrich Heine, Reisebilder : Interpretation /
von Gerd Heinemann. – 1. Aufl. – München :
Oldenbourg, 1981.
  (Interpretationen für Schule und Studium)
  ISBN 3-486-17741-9
NE: GT

© 1981 R. Oldenbourg Verlag GmbH, München

1. Auflage 1981   4 3 2 1 0   85 84 83 82 81
Gesamtherstellung: Verlagsdruckerei J. [R]ieder, Schrobenhausen
ISBN: 3-486-17741-9

Inhalt

9. Textanhang

1. Literaturdidaktische Einführung

a) Literaturdidaktische Überlegungen

Eine durchgehende literaturdidaktische Theorie wäre aus verschiedenen Gründen für diesen Band nicht angebracht:

- Der Band ist so konzipiert, daß verschiedene Möglichkeiten in der Auswahl der Texte angeboten werden und der Lehrer den individuellen und gruppenspezifischen Problemen Rechnung tragen kann.
- Die eigenen Versuche haben dem Verfasser gezeigt, daß ein strenges Festhalten z. B. an rein rezeptionsgeschichtlichen Theorien nicht immer auf die ausgesprochene Gegenliebe bei Schülern stoßen mag.

Es sollen hier zunächst verschiedene literaturdidaktische Möglichkeiten aufgezeigt werden, die sich auf Rolf Geißlers Überlegungen in den »Prolegomena zu einer Theorie der Literaturdidaktik"[1] stützen. Geißler geht von der Hermeneutik Gadamers aus, wobei zur Voraussetzung gemacht wird, daß mit dem Verstehen eines Textes der Entwurf eines Vorverständnisses engstens verknüpft ist. Das wiederum bedeutet eine Horizonterweiterung bei dem jeweiligen Leser, so daß im Laufe der Geschichte ein Text angereichert wird und in der heutigen Zeit dem Leser andere Aussagen geben kann als in der Zeit seiner Entstehung. ,,Ein Text wächst durch seine geschichtlichen Interpretationen[2]." Die Hermeneutik ist aber nicht nur auf das Verfahren des Verstehens beschränkt, sondern sie bemüht sich auch um die Aufklärung der Bedingungen, die das Verstehen beeinflussen. Die wichtigste Bedingung des Verstehens ist das Vorurteil: Vorurteile sind vor allem deshalb zu beachten, weil ,,sie den uns bestimmten Niederschlag der Geschichte im Verhalten zur Welt darstellen"[3].

Die Hermeneutik sieht in der Summe der geschichtlich gewachsenen Vorurteile eine wirkungsgeschichtliche Überlieferung, die jeden Verstehensakt beeinflußt. Damit distanziert man sich von dem historischen Objektivismus, der diese Erscheinung leugnet und sich in der Lage sieht, geistige Phänomene als solche erkennen zu können.

---

[1] Hannover, 1973[2].
[2] a. a. O., S. 62.
[3] a. a. O., S. 62.

So kommt die Hermeneutik zu dem Ergebnis, das Verstehen und den jeweiligen geschichtlichen Standort zu verknüpfen. Der geschichtliche Standort schränkt natürlich die Möglichkeiten des Verstehens ein, sichert aber gleichzeitig die Erkenntnis vor Vagem und Ungewissem. Gadamer kennzeichnet diese Position als den „Verstehenshorizont"[4].

Für Geißler sind in diesem Zusammenhang folgende literaturdidaktische Fragestellungen relevant:

- Durch das Feststellen der geschichtlichen Bedingungen des Verstehens wird die unmittelbare Textbegegnung hinfällig: an ihre Stelle tritt die geschichtliche Vermittlung allen Verstehens.

- Durch Hinausgehen über die philosophische Fragestellung zur Pädagogik sollen die politisch-sozialen Implikationen der Wirkungsgeschichte begriffen werden. Die philosophische Fragestellung der Hermeneutik richtet sich nach den Gegebenheiten, die pädagogische muß „eine politisch-demokratische Produktivität"[5] initiieren.

- Dabei soll die gegenwärtige Lebensweise, die im Gegensatz zu früher synchronisch ausgerichtet ist, der Fragestellung zugute kommen. Es muß ein diachronisches Bewußtsein gefördert werden, so daß Möglichkeiten der Veränderung leichter gesehen werden. Dem synchronischen Menschen werden die Augen geöffnet, wenn er sieht, was eigentlich alles diachronisch ist.

- Wichtig ist dabei, daß die Zukunft nicht dogmatisch verstellt wird. Ein offener Zukunftsbezug kann sich aber nur entwickeln, wenn Bestehendes, Erreichtes und Gewußtes bezweifelt und kritisiert wird. „Zukunft ist mächtig, nicht indem ich auf sie fixiert bin, als ein gegenwärtig Noch-nicht-Erreichtes, sondern indem ich mich der Gegenwart verändernd zuwende. In der kritischen Analyse aktualisiert sich, was mein Wissen übersteigend, potentiell in mir liegt und was ich erst im produktiven Umgang reflektieren und damit selbstkritisch überdenken kann[6]."

Aus diesem theoretischen Ansatz ergeben sich folgende allgemeine Lernziele eines Literaturunterrichts:

---

[4] Gadamer, Hans Georg, Wahrheit und Methode.
Grundzüge einer philosophischen Hermeneutik, Tübingen 1965[2], S. 285.
[5] a. a. O., S. 67.
[6] a. a. O., S. 70.

- Eine Heranbildung des Jugendlichen zur Zeitgenossenschaft und
- die Einsicht in die Geschichtlichkeit als „subversive Macht gegen
  etablierte Normen, Denk- und Geschmacksurteile[7]." Hierbei
  kommt der Literatur der Vergangenheit eine besondere Bedeutung zu. Es wird einmal ein Verstehensprozeß in Gang gesetzt,
  der sich nicht nur auf Inhalte beschränkt, die sich aus einer reinen
  Gegenwartsbezogenheit ergeben. Vielmehr muß sich der Jugend-
  liche um zunächst Unzugängliches und Fremdes bemühen. Das
  Ergebnis wäre eine „Erweiterung des jugendlichen Verstehensho-
  rizontes"[8] und eine kritische Distanz zu den Verhältnissen der
  Gegenwart.
- Das Eröffnen einer Zukunftsperspektive, indem auf eine Veränderung unseres gegenwärtigen Bewußtseins hingewirkt wird.

In dem letzten Kapitel dieses schon fast wieder vergessenen Buches untersucht Geißler die Möglichkeiten der Verwirklichung dieser Aufgabe. Dabei werden Perspektiven und Ansätze deutlich,
warum gerade Heine-Texte verstärkt in den Literaturunterricht aufgenommen werden sollten. Texte müssen grundsätzlich unter ratio-
nalen Gesichtspunkten verstanden werden, wobei es primär darum
geht, Strukturen zu erkennen, bzw. zu analysieren. Auf dieser Stufe
sollte der Verstehensprozeß nicht stehenbleiben, weil eine rationale
Analyse nicht allen Bereichen eines Kunstwerkes gerecht werden
kann. Diese Dimensionen können nur geöffnet werden, wenn die
rationale Analyse sich auf die verstehbaren Dinge beschränkt und
den Schüler zu neuen Überlegungen anregt. In diesem Zusammenhang weist Geißler auf die Möglichkeit hin, „literarische Texte in
Unterrichtsreihen"[9] zu behandeln. In diesen Reihen ist es einmal
möglich, daß sich die Texte aus der Gegenüberstellung heraus wech-
selseitig erschließen, vor allem bei einem chronologischen Vorge-
hen. Außerdem werden Teilaspekte inhaltlicher und literarischer
Art deutlicher. Dabei bleibt ein „substantieller Rest"[10] ungeklärter
Bereiche, die den Schüler zu neuen Erfahrungen anregen können.

Dieses Konzept läßt sich auch auf die Heineschen „Reisebilder"
übertragen: Aus der Gegenüberstellung der Texte in ihrer Gesamt-

---

[7] a.a.O., S. 86.
[8] a.a.O., S. 86.
[9] a.a.O., S. 96.
[10] a.a.O., S. 94.

heit ergeben sich Einsichten in den Bereichen der literarischen Form und der politischen bzw. gesellschaftlichen Aussage; im Detail geht es um eine wechselseitige Erhellung und Erklärung, wie z. B. dem politischen Begriff der ,,Restauration" oder den ästhetischen Begriffen ,,Ironie" und ,,Fragment".

Aus diesen Überlegungen heraus wird deutlich, welche Aufgabe dieses literaturdidaktische Heft zu Heines ,,Reisebildern" hat und welche allgemeinen Lernziele sich damit verbinden. In den folgenden Kapiteln sollen Handreichungen gegeben werden, die das jeweilige Grundmuster – die Struktur und die Einzelteile – aufzeigen.

Dem Lehrer sei es unbenommen, verschiedene Schwerpunkte zu setzen, immer wird er wieder auf den Grundsatz der didaktischen Differenz kommen. Aus diesen didaktischen Einsichten ergeben sich folgende übergeordnete Lernziele:

1. Das Lesen der ,,Reisebilder" fordert vom Leser der Gegenwart eine andere Haltung als die des Zeitgenossen: Dieser konnte aufgrund der ihm bekannten Zeitumstände Unbestimmtheitsstellen auffüllen und sich erklären. Der heutige Leser dagegen kann – bedingt durch den zeitlichen Abstand – den Text zur historischen Erkenntnis nutzen und seine eigene geschichtliche Position bestimmen. Diese Texte dienen aufgrund ihrer Mischform nicht nur der Erkenntnis des Ichs, sondern damit verbunden der historischen Position. In den ,,Französischen Zuständen" beschreibt Heine diese Position schon aus seiner damaligen Sicht: ,,Der heutige Tag ist ein Resultat des gestrigen. Was dieser gewollt hat, müssen wir erforschen, wenn wir zu wissen wünschen, was jener will... Es ist dieses ein doppelt nützliches Geschäft, da, indem man die Gegenwart durch die Vergangenheit zu erklären sucht, zu gleicher Zeit offenbar wird, wie diese, die Vergangenheit, erst durch jene, die Gegenwart, ihr eigentliches Verständnis findet, und jeder neue Tag ein neues Licht auf sie wirft, wovon unsere Handbuchschreiber keine Ahnung hatten[11]."

2. Gegenwartsanalyse setzt das Verständnis des historischen Wandels voraus. Die historische Differenz kann zur Reflexion der poetisierten Werte und Normen, sei es ästhetischer, politischer und gesellschaftlicher Art als Kontrast zur gegenwärtigen Lage in diesen Bereichen beitragen und so zur Überprüfung des Standor-

---

[11] E, V, 91 f.

tes führen. Gerade Heine ist ein herausragender Autor für diesen historisch-hermeneutischen Ansatz.

Heines subjektiv-reflektierende Wirklichkeitsverarbeitung bietet zahlreiche Anhaltspunkte; auf dem ästhetisch-literarischen Bereich sollen hier die Komplexe Grenzen der Ironie und Satire, Fragment, Mischformen genannt werden. Zu den gesellschaftlich-politischen Themen zählen Restauration und Revolution, Fortschritt in der Geschichte der Menschheit, Macht des politischen Schriftstellers, Kirche und Staat.

Neben diesem Ansatz, der sich aus der Hermeneutik ableitet und den Heineschen Texten methodisch angemessen entgegen kommen kann, sind noch zwei weitere Möglichkeiten zu nennen: Die historisch-materialistische Analyse und – bezogen auf die Rezeptionsdokumente im Anhang[12] – eine ideologiekritische Rezeptionstheorie.

Eine rein historisch-materialistische Analyse könnte von folgendem Ansatz ausgehen: Ein dichterischer Text unterscheidet sich unter anderem von einem wissenschaftlichen Text dadurch, daß hier eine die Erkenntnis stimulierende Funktion zu beobachten ist – im Gegensatz zum wissenschaftlichen Text, der seinen Neuigkeitswert nach der Verarbeitung der Information einbüßt. Diese stimulierenden Impulse hängen aber von den jeweiligen individuellen oder gesamtgesellschaftlichen Erfahrungen des Lesers resp. des jeweiligen Lesepublikums ab. Wobei eine historisch-materialistische Analyse diese Erfahrungen – etwas einseitig – nur auf die ökonomischen Verhältnisse zurückführt. Erfahrungen und Impulse stehen also in einem direkten Abhängigkeitsverhältnis. Die Funktion eines dichterischen Textes zeigt sich demnach vor allem darin, in welchem Ausmaß und in welcher Intensität der sozialen Effekte eine Wechselwirkung zwischen Dichtung und Lebenserfahrung späterer Generationen entsteht. Eine semantische Potenz dichterischer Texte kann sich also in ihren Wirkungen entfalten. Der Satz muß dann auch umgekehrt anwendbar sein:

Über die Analyse der Wirkungen eines dichterischen Textes erschließt sich die semantische Potenz eines dichterischen Textes.

Bei der Analyse der Wirkungen muß aber berücksichtigt werden, daß die Wirkungsgeschichte mit der Geschichte der Bildung, Entwicklung und des Abbaus von Ideologien verzahnt ist. Dichtung ist

---

[12] s. u. S. 86 ff.

ein Faktor in dem Prozeß, in dem sich das Selbstverständnis, das Weltbild von sozialen Gruppen und Klassen herausbildet. Man könnte auch krasser formulieren: Dichtung ist ein Faktor im Klassenkampf, so daß die Wirkungsgeschichte nicht nur als eine Entfaltung der semantischen Potenz erkannt werden muß, sondern ebenfalls als eine Geschichte der Verfälschung. Durch Erkennen dieser Faktoren und deren kritische Reflexion ergibt sich eine kritische Revision des eigenen Standpunkts, aus dem der historisch-materialistische Ansatz seine zukunftsbezogene Konsequenz zieht.

Die Konsequenz für einen historisch-materialistischen Ansatz kann man dann in dem Ziel sehen, aus der A n a l y s e eine Wiedergewinnung der historischen Perspektive zu erreichen, die aber nicht in einem vermeintlichen Historismus fixiert bleiben darf, sondern die Gegenwart als historisch bedingt sehen sollte und daraus die Konsequenz zieht, daß die Veränderbarkeit historischer Gegebenheiten offen bleiben muß.

Die Rezeptionsdokumente des Anhangs können außerdem noch unter folgenden Gesichtspunkten bearbeitet werden, die eine ideologiekritische Rezeption deutlich werden lassen:

– In hermeneutischer Sicht kann gelernt werden, daß die zeitgenössischen Rezeptionsdokumente für eine historisch-kritische Interpretation des Heineschen Werks nutzbar gemacht werden und

– bezogen auf den ersten Teil des Bandes bzw. die Heineschen Reisebildertexte die eigene Heine-Rezeption auf den geschichtlich gewordenen Rezeptionsprozeß zurückgeführt und dabei der eigene Standpunkt kritisch überprüft wird.

– In ideologiekritischer und -kundlicher Hinsicht kann gelernt werden, anhand der Rezeptionsdokumente wichtige Stationen deutscher Ideologiegeschichte – z. B. 1848 die Auflösung der liberalen Gruppierungen – zu charakterisieren sowie Funktionsweisen und Mechanismen der Ideologiebildung zu durchschauen. Es läßt sich dabei z. B. erklären wie das Bild vom ,,vaterlandslosen Gesellen" oder dem ,,Nestbeschmutzer", dem ,,Gottlosen" entsteht. Der Schüler lernt so, die Elemente von Wirkungszusammenhängen im Bereich der Geistesgeschichte aufeinander zu beziehen und begründete Wertungen vorzunehmen.

– In diesem Zusammenhang kann dem Schüler deutlich gemacht werden, daß die Rezeptionsbelege komplexe Konstellationen von Argumentationselementen aufweisen: Es werden in dem rezep-

tionsgeschichtlichen Prozeß Argumentationselemente tradiert und mit neuen Konstellationen verbunden, wodurch Zusammenhänge zwischen den Stationen der Heine-Rezeption entstehen.

b) Heine im Deutschunterricht – ein Überblick

– 19. Jahrhundert und Weimarer Republik
Wenn man versucht, Heinestoffe und die damit verbundenen Lernziele im Deutschunterricht des vergangenen Jahrhunderts zu rekonstruieren, stößt man auf relativ wenig Hinweise. Zwar gab es schon 1846 beim Bibliographischen Institut in Hildburghausen eine ,,Anthologie aus den Werken H. Heines", doch wird diese nicht dazu beigetragen haben, den von der Obrigkeit Verfemten in die Schule zu bringen. Ein ,,Heine-Brevier", Berlin 1905, ist nach der Jahrhundertwende zu finden, 1911 erscheint eine ,,Heine-Buch für Schule und Haus", Warschau/Leipzig. In der Weimarer Republik gab es nur zwei Heine-Lesebücher: Einmal von Wendel, Heinrich Heine und der Sozialismus, Berlin 1919 und ein Heine-Lesebuch. Poesie und Prosa, Kehl 1931 in der zweiten Auflage. Der maßgebende Deutschdidaktiker der Weimarer Republik, Martin Havenstein, schreibt: ,,Daß man im deutschen Unterricht Heinrich Heine keinen breiteren Raum widmen wird, versteht sich von selbst. Heine ist es trotz seiner tiefen Vertrautheit mit der deutschen Sprache nicht gelungen, ganz zum Deutschen zu werden. Dies scheint überhaupt den Kindern anderer europäischer Völker, zum Beispiel Franzosen (man denke an Fouqué, Chamisso und Fontane) leichter zu fallen als den Juden, die schon lange mit uns leben[13]." Die Texte im Anhang[14] zeigen weitere Gründe, warum Heine-Texte nicht gefragt waren. Erst nach 1945 erlangten Heine-Texte im Deutschunterricht der entstandenen Bundesrepublik und der DDR eine größere Bedeutung.
– Heine im Unterricht der DDR
Den ersten breit angelegten Versuch, Heine in den Literaturunterricht einzuführen, hat Fritz Mende unternommen. Seine 1961 angenommene Dissertation ,,Heinrich Heine im Literaturunterricht

---

[13] Havenstein, Martin, Die Dichtung in der Schule, in: Handbuch der Deutschkunde, hg. Schellberg, Wilhelm, Johann Georg Sprengel, Frankfurt 1925, Bd. 6, S. 34 f.
[14] s. u. S. 86 ff.

der Oberstufe"[15] erschien später noch mehrmals in überarbeiteter Form als Handreichung für den Lehrer. Aufgabe der Dissertation sollte es sein:

,,... im Bereich der Deutschmethodik wissenschaftliche Grundlagen für eine richtige, erzieherisch wirksame, den Forderungen der sozialistischen Gesellschaft entsprechende Behandlung Heines im Literaturunterricht der Oberstufe zu schaffen und damit zugleich den Gestaltern der Lehrpläne wie den Deutschlehrern der Oberstufe Hilfe und Anregungen zu geben[16]."

Als Ziel der Arbeit formuliert Mende:

,,... die Erkenntnisse der modernen Heine-Forschung mit den Aufgaben der sozialistischen Schule zu verbinden[17]."

In dem ersten, literaturwissenschaftlichen Teil unternimmt Mende den Versuch, dem Lehrer der DDR alle relevanten Ergebnisse der Heine-Forschung zu vermitteln. Im zweiten Teil untersucht Mende das Heine-Bild des Oberstufenschülers der DDR mit Hilfe einer repräsentativen Umfrage und baut darauf im dritten und vierten Teil seine Unterrichtskonzeption auf. Folgende ,,methodische Zielsetzungen" werden u. a. besonders formuliert:

,,4. Sie [die Behandlung Heines] darf nicht auf der Stufe der Rezeption stehenbleiben und soll den Schülern den Zugang zu Heines Gesamtwerk eröffnen, so daß die Schüler zu einer persönlichen, schöpferischen und selbständigen Beschäftigung mit den Werken Heines angeregt werden ...
8. Sie muß die Erziehung des Schülers zu einer humanitären, sozialistischen Persönlichkeit berücksichtigen[18]."

Es soll hier ein Literaturunterricht der Lebenshilfe gegeben werden, wie es sich u. a. auch in folgenden Überlegungen zeigt:

,,... denn viele Prinzipien unseres sozialistischen Aufbaus, wie z. B. die Beseitigung der Ausbeutung des Menschen durch den Menschen, der Appell an die sozialen Gefühle und schöpferischen Kräfte jedes Menschen, die Begründung eines zukunftsfrohen Lebensoptimismus, die gesellschaftliche Tätigkeit des Menschen im Sinne der Völkerfreundschaft und eines kämpferischen Humanismus finden wir in Heines Werken als Forderung oder erhoffte Zukunftsperspektive gestaltet[19]."

---

[15] [Masch.] Berlin/Ost.
[16] a. a. O., S. 2.
[17] a. a. O., S. 2 f.
[18] a. a. O., S. 230 f.
[19] a. a. O., S. 228.

Um diesen „Vorbild-Charakter" deutlich herausarbeiten zu können, werden die Texte nach folgenden Kriterien ausgewählt[20]:
- Texte, in denen Heines „Patriotismus" deutlich wird
- die seine „fortschrittliche und sozialrevolutionäre Haltung" zeigen,
- aus denen seine „Willenskraft, weite Lebensschau, Optimismus" ersichtlich wird,
- seine Texte, die seine „sprachlich-dichterische" Meisterschaft deutlich werden lassen und Texte
- die „seine sozial und politisch bedingte Technik" zeigen.

Nach Mende sollen keine Texte mit erotischen Anspielungen genommen werden; er verweist auf die „Schloßlegende"[21]. Wie problematisch solche Urteile sein können, beweist die Tatsache, daß dieses Gedicht nicht wegen seiner Erotik, sondern wegen seiner Majestätsbeleidigung, von Elster 1890, nicht in die Historisch-Kritische Ausgabe aufgenommen werden durfte[22].

Seit der Neufassung der Lehrpläne für die Erweiterte Oberschule der DDR ist der Literaturunterricht noch mehr zu einem affirmativen Unterricht der Lebenshilfe geworden. Deutlich wird das von Margot Honecker auf dem VII. Pädagogischen Kongreß der DDR, 1970 in Berlin, formuliert:

„[Der Literaturunterricht] soll die Schüler befähigen, sich Literatur parteilich und selbständig zu erschließen und aktiv das kulturelle Leben unserer sozialistischen Gesellschaft mitgestalten[23]."

Gedankliche Grundlage dieser Überlegungen ist der literaturdidaktische Ansatz der DDR-Lehrpläne, der auf der marxistischen Widerspiegelungstheorie beruht: Die literarischen Werke des sozialistischen Realismus stellen die objektiv notwendige Bewältigung ökonomischer Widersprüche dar und sind Ausdruck eines bestimmten kollektiven Bewußtseins. Bei den literarischen Werken der Vergangenheit ist die Form der Widerspiegelung der Widersprüche und deren ästhetische Übertragung vom Klassenstandpunkt des jeweiligen Autors abhängig. Daraus folgert die DDR-Literaturdidaktik:

---

[20] a. a. O., S. 240.
[21] a. a. O., S. 240.
[22] Houben, Heinrich, Hubert, Verbotene Literatur von der klassischen Zeit bis zur Gegenwart, Bd. I, Berlin 1924, S. 428.
[23] Bulletin 1, VII. Pädagogischer Kongreß der DDR vom 5.–7. Mai 1970, S. 14.

„Bei der Interpretation der literarischen Werke untersuchen die Schüler, wie sich die ideologische Position, die humanistische Vorstellung vom Menschen, das ästhetische Ideal des Schriftstellers in seinen Werken in der Gestaltung literarischer Figuren widerspiegelt. Sie lernen die gesellschaftlich-historischen Grundlagen der Konflikte zunehmend selbständig zu erfassen. Sie interpretieren die literarische Gestalt als Einheit des Individuellen und Gesellschaftlichen, beurteilen die Anlage des Figurenensembles im Drama und im Roman unter diesem Gesichtspunkt und setzen sich mit den literarischen Gestalten auf der Grundlage des sozialistischen Klassenstandpunktes umfassend und differenziert auseinander[24]."

Beispiele für diese Form des Literaturunterrichts sind zahlreich in der Zeitschrift „Deutschunterricht" (Berlin/Ost) zu finden. In der Regel werden die übergeordneten Lernziele ausgespart – abgesehen von dem Hinweis auf eine Nachahmung im Sinne eines sozialistischen Menschen. Mustergültig ist das Jubiläumsheft „Zum 175. Geburtstag Heinrich Heines"[25].

In einem Aufsatz von Alfred Hartwig, „Von der Harzreise zum Kabelkran... Gedanken und Vorschläge zur Lehrplanrealisierung", werden die Lernziele ausdrücklich in diesem Sinne formuliert:

„Wir wollen die Schüler für Heine gewinnen, anschauliche Vorstellungen von seinem Leben entstehen lassen; dabei sollen die Schüler ihren eigenen parteilichen Standpunkt bereichern und festigen, und schließlich soll sich ihr Erbe-Bewußtsein im Sinne von Besitzen und Erwerben entwickeln. Um diese Ziele zu erreichen, sollte das Inbeziehungsetzen Erbe — sozialistische Literatur drei wesentliche Inhalte haben: Das Problem der gesellschaftlichen Engagiertheit; die Frage nach Perspektive und Glück des Menschen; die Distanzierung von bourgeoiser Einstellung und Haltung und damit die Abgrenzung von der kapitalistischen Gesellschaft – immer am Beispiel des konkret Dargestellten; wobei sich diese Aspekte natürlich weitgehend in Tätigkeiten und Diskussionen der Schüler durchdringen[26]."

Zusammenfassend kann gesagt werden, daß der Literaturunterricht der DDR Heine in seinem Kanon einen breiten Raum gibt. Er beabsichtigt in seiner literaturdidaktischen Konzeption mit der Übernahme eines festen Heinebildes eine Affirmation von „Werten", d.h. die Konzeption des Unterrichts steht auf einer Stufe, die in der Bundesrepublik als überwunden gilt.

---

[24] DDR-Lehrplan, Klasse 9, S. 8.
[25] Deutschunterricht, H. 9, Jg. 25 (1972).
[26] a. a. O., S. 468.

- Heine im Unterricht der Bundesrepublik

  Zu diesem Thema gibt es zahlreiche ausführliche Aufsätze[27]. Drei Themen sind bei dieser didaktischen Heine-Diskussion immer wieder zu finden:
  - Heine und die damit verbundenen Lernziele
  - damit eng verbunden die Stoffauswahl und Thematik und die
  - Frage, ob Heine ein Autor für die Sekundarstufe I oder II ist.

  Bei den meisten Arbeiten und Aufsätzen, die über die reine Heine-Philologie hinausgehen und die versuchen, Heine-Texte für den Deutschunterricht zugänglich zu machen, ist zu beobachten, daß die bei anderen Texten oft strittige Lernzieldiskussion nicht so sehr in den Vordergrund tritt. Das liegt vor allem daran, daß die Texte erst vor ihrem historischen Hintergrund verstanden werden müssen, bevor auf eine Verhaltensänderung des Schülers hingesteuert werden kann. Parallel dazu ist zu beobachten, daß zahlreiche Arbeiten veröffentlicht werden, die sich vorwiegend um reine Verstehensfragen bemühen. Hinzu kommt die Einsicht, daß operationalisierte Lernziele als vorgegebene Muster sich nicht auf jeden Text übertragen lassen; eine philologisch-historische Literaturdidaktik wird auch in Zukunft den Bereich der Heine-Texte bestimmen[28].

  Bei der Stoffauswahl im Bereich der Lyrik ist zu beobachten, daß die Texte in der Regel aus dem ,,Buch der Lieder" genommen wurden; die politische Lyrik wird erst in den letzten Jahren mehr berücksichtigt. Auch wenn als eine Erklärung für den völligen Mangel an Prosatexten, z. B. in den Lesebüchern der Jahre 1948 bis 1970, gelten kann, daß bestimmte politische und gesellschaftliche Umstände in der Bundesrepublik Heine aus dem Schulalltag fernhielten, so muß eine weitere Erklärung zumindest angedeutet werden: Einmal ist es die Verschlüsselung von Aussagen durch vor allem ironische Sprechweisen, die in einer Zeit affirmativer Didaktik wenig gefragt waren, zum anderen ist es die enge Bindung der Texte an den historischen Hintergrund, so daß viele Texte nur dann verstanden werden können und auch die Aussage allgemeiner formuliert werden kann, wenn das nötige geschichtliche Wissen vorhanden ist. So

---

[27] siehe unten Bibliographie im Anhang S. 113 f.
[28] vgl. zu diesem Begriff den Aufsatz von Wunderlich, Werner, in: Wirkendes Wort, H. 2, Jg. 30 (1980).

ist es auch erklärbar, daß auf zwei Wegen Heine-Texte für die Schule seit ca. 1970 dargeboten werden. Einmal sind es Textsammlungen, die nach bestimmten thematischen Schwerpunkten: z. B. Deutschlandkritik, Aspekte gesellschaftlicher Emanzipation o. ä. Ausschnitte anordnen, die mit wenigen Hinweisen verstehbar sind[29].

Bei der Darbietung geschlossener Texte zeigt sich, daß einige Werke bei dem sich vollziehenden Paradigmawechsel der Literaturwissenschaft eine besondere Berücksichtigung finden. Bei den Reisebildern sind es vor allem die ,,Harzreise" und ,,Ideen. Das Buch Le Grand" und die beiden Arbeiten zu dem Thema ,,Lucca"[30].

Ob die ,,Romantische Schule" trotz ihrer umfangreichen und vorzüglichen Darbietung[31] den Eingang in den Unterricht der Sekundarstufe II finden wird, bleibt abzuwarten. Hingegen ist ,,Deutschland. Ein Wintermärchen", wohl bedingt durch seine Möglichkeit der aktuellen Bezüge und der damit gegebenen Motivation, schon ein ,,Klassiker" des Schulkanons geworden; vor allem weil zwei gut durchdachte Konzeptionen[32] dem Schulalltag in Bezug auf Materialbeschaffung und zeitgenössische Quellen entgegenkommen.

Was den letzten Komplex betrifft – die Frage der Altersstufe – so wird auch hier eine endgültige Klärung nicht wünschenswert sein, zumal die jeweilige Klassenstruktur und Interessenlage der Schüler zu berücksichtigen sind. Dennoch halte ich den Text ,,Ideen. Das Buch Le Grand" frühestens gegen Ende der Klasse 9 für sinnvoll, weil einmal der Geschichtsunterricht des 19. Jahrhundert abgeschlossen sein sollte, zum anderen literarische Kleinformen wie Satire und Anekdote, Parabel und Gleichnis den Schülern vertraut sind. Die anderen Texte der ,,Reisebilder" sollten der Sekundarstufe II vorbehalten sein, weil hier die Möglichkeiten des genauen Lesens eher gegeben sind.

---

[29] vgl. z. B. Gesellschaftskritik im Werk Heinrich Heines. Ein Heine-Lesebuch, Hrsg. Walwei-Wiegelmann, Hedwig u. a. Paderborn 1974.

[30] Während die ,,Harzreise" schon seit 1957 bei Reclam erscheint, sind die anderen im Zeitraum zwischen 1972 und 1978 herausgegeben worden.

[31] Heine, Heinrich, Die romantische Schule. Kritische Ausgabe. Hrsg. von Helga Weidmann, Stuttgart 1976.

[32] Gössmann, Wilhelm, Woesler, Winfried, Politische Dichtung im Unterricht: ,,Deutschland. Ein Wintermärchen", Düsseldorf 1974.
Fingerhut, Karl-Heinz, Heinrich Heine: Deutschland. Ein Wintermärchen, Frankfurt/Main 1976, Ein Band Unterrichtsmodelle und ein Lehrerkommentar.

18

2. Die Geschichte der Reiseliteratur

Trotz verschiedener Bemühungen im Deutschunterricht, den Begriff „Literatur" als ein festgefügtes Schema von Vorstellungen und Vorurteilen abzubauen und im Schüler einen erweiterten Erwartungshorizont zu schaffen, müssen gerade bei den Heineschen „Reisebildern" einige Hinweise auf die Geschichte der Reiseliteratur gegeben werden, da hier ungewohnte Grenzbereiche der fiktionalen und expositorischen Texte betreten werden.

Reisen wurden immer unternommen – und darüber wurde schriftlich berichtet. Im Barock ist es die „curieuse Reisebeschreibung", die das Außerordentliche und Seltsame besonders hervorhebt – im 18. Jahrhundert erhält die Reise und damit die Reisebeschreibung einen emanzipatorischen Charakter. Jede Richtung dieser Zeit hat dazu ihren Beitrag geleistet: Das Rokoko beschreibt die „galante Reise", Sterne propagiert die „Sentimental journey" und utopische Aufklärer schildern ihre „Imaginary voyages"; radikale Aufklärer formulieren ihre kritischen Reiseberichte über die deutsche Misere – die Anhänger der Französischen Revolution erzählen von ihrer Reise nach Paris und enden mit einem Aufruf zur Revolution.

In diesem Zusammenhang müssen einige Gesichtspunkte genannt werden, bei denen Heine an die Tradition der deutschen Reiseliteratur anknüpft und sie weiter ausbaut. Heine waren die gesellschaftlichen Potenzen des Reisenden in der deutschen Literatur seit der Aufklärung, speziell in der Reiseliteratur, bei der Arbeit an den „Reisebildern" bewußt: Zu erwähnen sind hier vor allem Forster, Arndt und Seume[33]. Diese wählen die gesellschaftlichen, speziell die politischen und sozialen Zustände vor allem im revolutionären Frankreich, um dann einen Vergleich mit den deutschen Zuständen anzustellen. Damit wird deutlich, daß die gesellschaftliche Potenz des reisenden Literaten einer Wandlung unterliegt. Der Wanderer ist nicht mehr der sinnierende Philosoph oder der Bildungsreisende der

---

[33] Forster, Georg, Ansichten vom Niederrhein, von Brabant, Flandern, Holland, England und Frankreich im April, Mai und Junius 1790, Hrsg. Steiner, Gerhard, Berlin 1958.
Arndt, Ernst Moritz, Reise durch einen Theil Teutschlands, Ungarns, Italiens und Frankreichs in den Jahren 1798 und 1799, T. 1–4, Leipzig 1804.
Seume, Johann, Gottfried, Spaziergang nach Syrakus im Jahre 1802, Leipzig 1960.

Aufklärung, vielmehr wird er der Vermittler und Verkünder moderner politischer und sozialer Bewegungen. Die Reisebeschreibung wird somit ein Mittel der politischen und sozialen Kritik – vor der Französischen Revolution war das noch nicht zu beobachten.

Ein zentrales Thema ist der schlechte Zustand einer in sich zerrissenen und unterentwickelten Nation ohne Nationalbewußtsein — diese steht im krassen Gegensatz zu der französischen Nation, die sich ihrer Kraft bewußt ist[34]. Dabei wird die Frage nach der Einheit der Nation mit sozialen Problemen verknüpft: Scharfe Kritik an der Aristokratie wird mit der Schilderung der Lage unterer Volksgruppen – vor allem der Bauern – verbunden. Aus diesem Grund erhält auch die Perspektive des Wanderers eine immer bedeutendere Funktion – so schreibt Seume in „Mein Sommer 1805":

> „Wer geht, sieht im Durchschnitt anthropologisch und kosmisch mehr, als wer fährt [. . .] So wie man im Wagen sitzt, hat man sich sogleich einige Grade von der ursprünglichen Humanität entfernt. Man kann Niemand mehr fest und rein in's Angesicht sehen, wie man soll[35]."

Das beschriebene gesellschaftliche Leben bei den o. g. drei Autoren wird dabei immer an der sozialen Lage des breiten Volkes gemessen. Wert oder Unwert eines Staates werden eng mit dem sozialen Gesamtstatus verknüpft. Diese Kriterien sind leicht bei Heine wieder zu erkennen: Vor allem in der „Harzreise" setzt er diese Tradition fort.

Andere Strukturprinzipien der Heineschen „Reisebilder" entstammen der ausländischen Reiseliteratur. Hier sollen Sterne, Byron, Frau von Staël und Lady Morgan genannt werden. Laurence Sternes „Sentimental journey" charakterisiert Heine selbst in der „Reise von München nach Genua"[36], wenn er das Subjektive im Gegensatz zu Goethes „Italienischer Reise" besonders hervorhebt. Sterne führte die Assoziationstechnik ein, die bewußt eine Systematik mied. Er reihte scheinbar zwanglose Erlebnisse, Beobachtungen und Einfälle aneinander und vermied die kontinuierliche, trockene Beschreibung. So konnte er durch gewohnte Zusammenstellungen

---

[34] vgl. z. B. Arndt: „O wenn es Eins [das italienische Volk, d. Verf.] wäre, welche Rolle könnte es auch jetzt noch spielen? Mit diesen ernsten Gedanken, worin vielleicht der meines zerrissenen und verratenen Vaterlandes sich mischte, wandelte ich noch ernsthafter unter diesen Denkmälern italienischen Heldenalters." A. a. O. T. 2, S. 11.

[35] Seume, Johann Gottfried, Mein Sommer 1805, Berlin o. J. S. 7 f.

[36] E, III, 98 f.

und Vergleiche, zweideutige Wortspiele, Gedankenstriche usw. die Komik und den Witz besonders hervorheben.

Für Heine war Lady Morgan ein Vorbild[37], weil sie zeigte, wie eine Auseinandersetzung mit Adel und Klerus möglich war. Heine erkannte — vor allem bezogen auf seine Italien- und Englandreise, daß eine Beschreibung fremder Länder für eine Kritik an den deutschen Zuständen benutzt werden könne.

Neben den aufklärerischen Reisebeschreibungen sind in diesem Zusammenhang auch die der Romantik zu erwähnen. Bei diesem geht aber das gesellschaftskritische Element zum Teil verloren. Dennoch hat Heine auch diese Texte als Vorbild für seine Arbeit genommen.

Der romantische Reisende, wie er bei Wilhelm Müller und Joseph von Eichendorff zu beobachten ist, erkennt zwar die Widersprüche in der Gesellschaft, sieht auch oft deren Ursachen: Sein Ziel ist aber nicht das Benennen und Aufklären – vielmehr flieht dieser Reisende in die Idylle, die unberührte Natur. Diese Flucht ist immer mit einem Verlust an kritischer Substanz verbunden. Wichtig ist in diesem Zusammenhang, daß die Romantiker die Verseinlage benutzen, allerdings im Zusammenhang mit dem Fluchtpunkt Idylle. Heine dagegen benutzt den Vers, um ein realistisches Bild zu durchbrechen.

Die Reisebeschreibungen Goethes kannte Heine ebenfalls. Nur sind sie in diesem Zusammenhang nicht als Vorbilder, sondern eher als Antipoden zu nennen. Die Tendenz der harmonisierenden ,,Objektivität" muß auf ihn eher abschreckend gewirkt haben.

Der direkte Vorläufer Heines ist sein späterer Kontrahent Ludwig Börne. Seine oft in Briefform gekleideten publizistischen Berichte, bei denen Reiseerlebnisse mit der Erörterung von Zeitfragen auf liberaler Ebene verbunden werden, galten Heine zumindest am Anfang als Vorbild. Neben dieser Verbindung ist bei Börne wie bei Heine zu beobachten, daß die Satire als Erzählelement die Reise als Rahmenhandlung und oft auch als Fabel benutzt. Es sind nicht Reisebeschreibungen im strengen Sinn des Wortes, vielmehr haben diese Reisen oft einen fiktiven Charakter, deren Verlauf in ihren Einzelheiten nicht dargestellt wird und deren Funktion einzig und allein ist, die miserablen Zustände im Vaterland – Uneinigkeit, Un-

---

[37] Lady Sydney Morgan, Italy, London 1821. Heine bezeichnet sie als ,,Nachtigall der Freiheit", E, III, 266.

21

freiheit, Feudalismus und katastrophale Lage der Bauern – zu zeigen. Es ist also ein satirisches Genre im Reisesujet. Heine lernte außerdem bei Börne, daß die Reise als Fabel dem Erzähler die Möglichkeit gibt, frei und subjektiv auszuwählen und damit bewußt Schwerpunkte zu setzen. Der Schreiber ist nicht an ein starres Schema gebunden — er kann seine Reflexionen beliebig fortsetzen.

Zusammenfassend kann man sagen, daß für Heine das Reisebild eine herausragende Stellung einnahm, weil hier die deutschen Verhältnisse umfassend geschildert werden konnten. Die Reise in einem Land, das zerrissen und ohne Verbindung, das weder ein ökonomisches, politischen noch kulturelles Zentrum hatte, dessen gesellschaftliche Gruppen sich feindlich gegenüberstanden, war ein Mittel, um die wichtigsten Kennzeichen der Nation in einem kontinuierlichen Handlungsablauf zu verbinden. Man könnte sogar so weit gehen und formulieren, daß die Reiseliteratur nur unter den gegebenen desolaten gesellschaftlichen Bedingungen eine Möglichkeit hatte, eine derartige Blüte zu erleben. Für das Lesepublikum der Restaurationszeit war die Reiseliteratur nicht nur aus politischen Gründen willkommen. Bedingt durch die allgemeine Verarmung war breiten Kreisen das Reisen verwehrt. So griff man nach Reisebeschreibungen, um zu erfahren, was hinter der Landesgrenze vorging.

3. Heines „Reisebilder" als Gesamtprojekt

Schon vor der „Harzreise" hatte sich Heine während des Studiums mit zwei kleineren Prosaarbeiten beschäftigt: „Briefe aus Berlin" und „Über Polen". Diese korrespondenzartigen Berichte erschienen in Zeitschriften mit beträchtlichem Ansehen. Anfangs sah Heine diese Vorformen der „Reisebilder" mehr als einen Broterwerb an, um während des Studiums eine gewisse zeitweilige Unabhängigkeit von seinem Onkel zu erlangen. Lyrik und Drama – die höheren Ebenen der Literatur – standen im Mittelpunkt der dichterischen Tätigkeit.

Nach Beendigung des Studiums im Jahr 1825 spielten verschiedene Gesichtspunkte für die Konzeption der „Reisebilder" eine Rolle:

– Bedingt durch das Judendekret, das ihm den Zugang zu öffentlichen Ämtern verwehrte, und seine geringe Neigung zur Rechtswissenschaft sah sich Heine immer mehr in die Rolle des freien Schriftstellers gedrängt. Da es aber an Stoff für größere Projekte mangelte, bot es sich an, einen Serientitel zu konzipieren, der langfristige Einnahmen ermöglichte.

– Da Heine schon mehrfach mit der Zeitschriftenzensur in Konflikt geraten war, schien es ihm ratsam, die Vorzensur zu umgehen. Das war nur möglich, wenn 20 Bogen – 320 Seiten – erreicht waren. Dann trat nur die Nachzensur in Kraft, für Schriftsteller und Verleger etwas weniger problematisch.

– Bei dem Projekt „Reisebilder", schon der Titel des ersten Bandes kündigt dem Leser an[38], daß weitere folgen würden, hatte Heine den Vorteil, nicht festgelegt zu sein, so daß die folgenden Bände den jeweiligen Einfällen und Umständen angepaßt werden konnten; auch die Stilebene und die Gattung waren bei diesem Titel völlig offen.

– Damit war auch die Möglichkeit gegeben, Gattungen und Stilarten, je nach Intention zu mischen: Das Erzählen, die Denkschrift oder die Reflexion konnte dem jeweiligen Gegenstand angemessen werden.

– So ist bei dem Gesamtprojekt eine gewisse Bewegung zu beobachten: Band 1 beschränkt sich auf den Harz; Band 2 läßt autobiographische Elemente (Heine in Düsseldorf) erkennen und berichtet von einem Badeaufenthalt auf Norderney; Bd. 3 hat Italien zum Thema, während im 4. Band England und Italien der Gegenstand sind.

– Gesamtthema ist der Emanzipationsprozeß, der sich auch innerhalb des Werkes erst stufenweise entwickelt. Heine fängt in kleinen Bereichen an, wo sich die Restauration der Emanzipation entgegenstellt und weitet diese Polarität auf immer neue Gebiete aus, die sich mit der geographisch gegebenen Konzeption decken. Somit ist eine antithetische Struktur der Gesamtkonzeption vorgegeben, die sich bis in formale Strukturen weiterverfolgen läßt. Mit dem Ende des vierten Reisebilderbandes ist das Stadium erreicht, bei dem der Emanzipationsprozeß nur noch durch eine Revolu-

---

[38] Reisebilder von H. Heine. Erster Theil.

tion vorangetrieben werden kann. Die Revolution löst die Emanzipation ab.

4. „Die Harzreise"

a) Einführung und Entstehung

Verschiedene Umstände sind bei der Entstehung der „Harzreise" zu berücksichtigen, wenn man den Text in seiner Komplexität und Vielfalt verstehen will. Der erste Gesichtspunkt ist die Frage, warum Heine nicht in den Bereichen der Lyrik und des Dramas blieb, wo er doch hier schon einige Anfangserfolge erzielt hatte. Hinzu kommt, daß der Reisebericht als Mischform ein niedriges Genre ist und einem anspruchsvollen jungen Dichter nicht angemessen erscheinen mußte: Heine hatte erkannt, daß er mit Drama und Lyrik ein Dichter bleiben würde, der nur in kleinen Kreisen und ohne Wirkung verharren könnte. Seine ersten journalistischen Arbeiten – die „Briefe aus Berlin" und der Essay „Über Polen" hatten andere Wirkung gezeigt. Diese bestand auch im negativen Sinn, da er durch seine liberalen Ansichten sofort mit der Zensur in Konflikt geriet. Das Genre an sich hatte ihn überzeugt, nur mußte er es so ausbauen, daß er die Vorzensur, die bei Zeitungen seit den Karlsbader Beschlüssen gegeben war, umgehen konnte. Das war aber auch bei Büchern nur der Fall, wenn die Seitenzahl mehr als 320 betrug.

Ein weiterer Vorteil bestand darin, daß man sich eben nicht nur in der Fiktion zu bewegen brauchte und „von allen Dingen und von noch einigen" schreiben konnte, wie Heine am 14. X. 1826 seinem Freund Moser mitteilte[39]. Anlaß für Heine war eine tatsächlich vorausgegangene Wanderung, die er als Student der Jurisprudenz vom 12./13. IX. bis ca. 11. X. 1824 von Göttingen über Osterode, Clausthal, Goslar, Brocken, Halle, Weißenfels, Jena, Weimar (1. X.), Erfurt, Gotha, Eisenach, Wartburg, Kassel unternommen hatte. Zumindest den ersten Teil bis zum Brocken hat er zu Fuß zurückgelegt.

Heines psychische Verfassung war vor dem Reiseantritt sehr schlecht. Er empfand das Jurastudium als ein relativ sinnloses Un-

---

[39] H, I, 287.

24

terfangen, seitdem sich 1823 die Berufsaussichten für ihn als Juden verschlechtert hatten. Hinzu kam, daß er die Stadt Göttingen und ihre Universität als einen „gelehrten Kuhstall"[40] und als „Nest Göttingen"[41] empfand. Einziges Ziel war es, das scheinbar sinnlose Studium so schnell wie möglich mit einem Abschluß zu beenden und die Stadt zu verlassen. In den Ferien vor dem Abschlußsemester unternahm Heine diese Harzwanderung, die man als Student wenigstens einmal gemacht haben mußte. Es wird wohl eine Mode gewesen sein, denn in einem zeitgenössischen Studienführer der Universität Göttingen heißt es:

„Wer in Göttingen studiert und nicht etwa aus der Nähe des Harzes herstammt, muß sich schämen, wenn er diese merkwürdigen norddeutschen Gebirge nicht besucht hat, da er ihnen doch so nahe war. . . . Der Herr Professor Hausmann pflegt jeden Sommer öffentlich eine belehrende Vorlesung für Harzreisende zu halten..."[42].

Nach seiner Reise beginnt Heine sofort mit einer schriftlichen Fixierung der Erlebnisse – im Dezember muß er einen ersten Teil abgeschlossen haben. Rückblickend berichtet er darüber einem Freund:

„Meine Harzreise habe ich, wie Sie schon in Erfahrung gebracht haben, Anfangs diesen Winter geschrieben. Aber leider konnte ich kaum bis zur Hälfte damit zu Stande kommen, weil ich damals, wie den ganzen Winter hindurch, mich höchst elend befand. Wenn ich daher bedenke, zu welcher trübseligen Zeit ich dieses Reisefragment geschrieben, so muß ich zweifeln ob etwas Gutes daraus geworden... Sie finden darinn viele alte Witze von mir, mit schlechten neuen Witzen bunt untermischt, nachläßige, unkünstlerische Prosa, unbeholfene Naturschilderungen, verunglückter Enthousiasmus; aber das bitt ich mir aus – die Verse darinn sind göttlich[43]."

Das Manuskript sollte erst in einem Almanach erscheinen; nachdem dieser Plan fehlschlug, ließ Heine Teile in einer Berliner Zeitschrift, dem „Gesellschafter" erscheinen. Der Redakteur Gubitz kürzte den Text beachtlich, um nicht mit der Zensur in Konflikt zu geraten.

Ende 1825 plant Heine dann ein „Wanderbuch", das 1826 u. a. mit der „Harzreise" bei Hoffmann und Campe unter dem Titel: „Reisebilder von H. Heine. Erster Theil" erschien. Es enthält neben der „Harzreise" noch eine Reihe von Gedichten und umfaßt nur 301

[40] H, I, 220.
[41] H, I, 147.
[42] Der Göttinger Student [anonym], Göttingen 1813, S. 130f.
[43] H, I, 211f.

Seiten, so daß der Verlag mit allen Mitteln versuchen mußte, den Zensor von der Harmlosigkeit des Buches zu überzeugen.

b) Die lyrischen Einschübe

Vergleicht man chronologisch die Texte der „Reisebilder", so ist zu beobachten, daß die Zahl der lyrischen Einschübe immer mehr abnimmt. Es ist daher die grundsätzliche Frage zu erläutern, welche Funktion diese Einschübe innerhalb des Ganzen haben. Schon die Zeitgenossen hatten erkannt, daß die lyrischen Passagen zum Text gehören und mit diesem eine bewußte Einheit bilden. Varnhagen stellt fest,

> „daß die Elemente seiner Darstellungsweise nicht nebeneinander zum Sortieren, Auswählen und Abtrennen daliegen, sondern untereinander verflochten und verwachsen, ineinander gemischt und verbunden sind, und ihre Scheidung nicht ohne Zerstörung des Vorhandenen geschehen kann[44]."

Heine hatte in dieser Beziehung Vorbilder bei den Romantikern – vgl. vor allem Eichendorffs „Taugenichts". In der „Harzreise" haben die lyrischen Einschübe hauptsächlich die Aufgabe, die Prosa zusammenzufassen und nochmals in komprimierter Form vorzutragen. Um das zu erreichen, bedient sich Heine der Wiederholung von Motiven: Hochzeit und Vereinigung der Liebenden, Gegensatz von Palast und Hütte. Die Texte sind ein Mittel, um die mit dem Dichter verbundenen Figuren in den Gegensatz zum veralteten und überlebten Deutschland zu setzen. Das wird auch bei der Plazierung folgender drei Gedichte deutlich: 1. Prolog, 2. „Berg-Idylle" – Mittelstück und 3. Prinzessin Ilse" – Epilog. Sie bilden das äußere Gerüst des Textes.

Der Prolog in der „Harzreise" stellt schon das Leitmotiv deutlich heraus und zeigt die Grundstimmung des Erzählers. Zu beachten ist dabei, daß diese Position nicht mit der Flucht des „Taugenichts" – Helden zu verwechseln ist, der in die Natur flieht und sich mit Schwärmereien begnügt. In der „Harzreise" ist die Rückkehr zu der Natur mit der Rückkehr zum Volk verbunden. Es ist nicht nur eine Kritik an den Philistern[45] und der bürgerlichen Gesellschaft, sondern der Gegensatz wird verschärft, wenn Heine von den „frommen

---

[44] Der Gesellschafter, 30. VI. 1826.
[45] siehe unten S. 44 f.

Hütten"[46] spricht, wobei an den Topos von Palast und Hütte gedacht ist.

Die „Berg-Idylle" als Mittelstück hat für den gesamten Text einen Schlüsselcharakter. Im ersten Teil wird das Motiv des Prologs wieder aufgenommen – die „Hütte" ist erreicht. Das Naturthema klingt nur kurz an, um dann zu dem Liebesthema, hier in zwei Bedeutungsebenen, überzuleiten. Schon in dem ersten Teil wird deutlich, daß dem Mädchen noch das Stadium einer naiven Religiosität anhaftet. Es steht gleichsam für eine frühe Entwicklungsstufe der Menschheit. Der Ritter dagegen hat dieses Stadium schon durchlaufen, er ist der Lehrmeister des Mädchens. Im zweiten Teil der „Berg-Idylle" entwickelt sich nun ein Dialog zwischen dem Erzähler und dem Mädchen, der an das Faust-Gretchen-Gespräch in Marthes Garten erinnert. Dabei wird deutlich, daß er als „Ritter vom Heiligen Geist" für die Vernunft, die Emanzipation des Menschengeschlechts und die langsame Verwandlung des Glaubens in Vernunft eintritt. Heine versteht sich hier als Vorreiter und Verbreiter von Ideen der Französischen Revolution. Der Bezug zum Prosatext wird dadurch hergestellt, daß der jetzt zum Ritter vom Heiligen Geist avancierte Wanderer in der Lage ist, die leidende Menschheit – verkörpert durch Prometheus[47] – zu befreien; im krassen Gegensatz dazu stehen die Juristen, die zu dieser Tat im Themis-Traum unfähig sind.

Eine weitere Verbindung zum Prosatext wird durch den zweiten Traum des Wanderers hergestellt, wenn der Ritter gegen die Zwerge im Brunnen der Klausthaler Grube kämpfen muß. Die Zwerge – erinnert sei an den Bericht über den fürstlichen Besuch in der Grube – verkörpern das ancien régime, das durch den Ritter vertrieben wird. Der dritte Teil der „Berg-Idylle" gelangt über die Aufhebung des Märchens zu einer Zukunftsvision den Zustand der Menschheit betreffend. Die verzauberte Welt wird durch das „erlösende Wort" befreit und der Ritter vom Heiligen Geist feiert Hochzeit mit dem Mädchen aus der Hütte, die zum Schloß geworden ist. Es ist eine Utopie, die Glückseligkeit auf Erden betreffend, die hier vorausgeahnt und beschrieben wird. Dabei ist besonders der Satz zu beachten:

---

[46] G, 13.
[47] G, 19.

„Du, du wurdest zur Prinzessin,
Diese Hütte ward zum Schloß"[48].

So wird das einfache, arme Volk aufgewertet und die Gleichheit der Menschen gefordert. Heine formuliert hier erstmals – etwas versteckt – sein Programm, das er später im „Wintermärchen" deutlicher in Verse faßt.

Auch das Gedicht des Epilogs ist in diesem Sinn zu verstehen. Die Prosabeschreibung und ihre Aussage bekommt durch die Versform einen bekenntnisartigen Charakter. Um dieses Bekenntnis zu unterstützen und die ewige Wahrheit besonders hervorzuheben, greift Heine zur märchenhaften Einkleidung – Ritter und Prinzessin Ilse. Wie in der „Berg-Idylle" dominiert auch hier das Vereinigungsmotiv. Die ewig lebende Prinzessin Ilse vereinigt sich mit dem Repräsentanten des Volkes. Früher waren ihre Geliebten sächsische Kaiser, diese sind schon lange tot; ihr System ist überholt, denn jetzt gehört dem Volk die Zukunft. Im Gegensatz zu den Romantikern verwendet Heine also märchenhafte Motive, um politische Aussagen zu verschlüsseln.

c) Witz und Satire

Schon die Rezensenten der „Reisebilder. Erster Theil" haben immer wieder – gleich ob ablehnend oder zustimmend – den Witz und den Humor hervorgehoben.

Man könnte daher vermuten, daß Heine u. a. auch wegen der Reaktion der öffentlichen Meinung gerade diesen stilistischen Bereich besonders ausbaute, vor allem wenn man bedenkt, daß er als einer der ersten freien Schriftsteller auf den Publikumserfolg angewiesen war.

Auffallend ist jedenfalls, daß Heine in allen vier Teilen der Reisebilder den Witz als Wortspiel und als Vergleich zuerst ohne Hintergedanken anwendete. Das Eigentümliche war aber – wie auch schon die Zeitgenossen anmerkten – der Übergang vom Witz zur Satire. Dabei ist zu beobachten, daß auch hier mehr gesamtgesellschaftliche Gründe eine Rolle spielen. Wenn Heine am 1. V. 1827 an Varnhagen schreibt,

---

[48] G, 44.

„Ich sehe auch vorher, daß die Guten des Landes mein Buch hinlänglich herunterreißen werden, und ich kann es den Freunden nicht verdenken, wenn sie über das gefährliche Buch [Ideen. Das Buch Le Grand] schweigen[49]."

dann belegt diese Äußerung deutlich, daß im heimlichen Lachen eine Übereinstimmung zwischen Publikum und Autor hergestellt wird. Dieses heimliche Auslachen deutscher Zustände kann eben nur über Witz, Satire und Ironie erreicht werden und bleibt bei dem einfachen Kalauer nicht stehen.

Zwei Vorbilder für die Variante des uneigentlichen Sprechens sollen hier genannt werden: Goethe und Aristophanes. Goethe schreibt rückblickend in „Dichtung und Wahrheit":

„Ich will deshalb zuerst von solchen Dingen sprechen, durch welche das Publikum besonders aufgeregt wird, von den beiden Erbfeinden alles behaglichen Lebens und aller heiteren, selbstgenügsamen, lebendigen Dichtkunst: von der Satire und der Kritik. In ruhigen Zeiten will jeder nach seiner Weise leben ... In dieser Ruhe wird der Bürger durch den Satiriker gestört, und so die friedliche Gesellschaft in eine unangenehme Bewegung gesetzt[50]."

Diesem Grundprinzip entsprechend wendet sich Heine besonders einem Vorbild zu, das er oft selbst benennt:

„Das ist mehr guter Humor [die Satiren des Horaz]... Aristophanes ist der größte Satiriker, und ich möchte wünschen, daß die persönliche Satire bei uns wieder in Schwung käme[51]."

Die Personalsatire wird in allen drei Bänden der „Reisebilder" intensiv angewendet.

Bei der nun folgenden Systematisierung sollen zuerst verschiedene Formen des Witzes, dann die Ironie, vorgeführt werden – beide münden in die Satire.

Die erste Form des Witzes ist im Bereich der Metapher zu finden. Dabei ist grundsätzlich zu beachten, daß metaphorisches Sprechen Fremdes miteinander verknüpft. Ein Textbeispiel soll die witzige Metapher verdeutlichen; Heine kommt nach Northeim und kehrt im Gasthof „Zur Sonne" ein; dann heißt es:

„Alle Gerichte waren schmackhaft zubereitet und wollten mir besser behagen als die abgeschmacktesten akademischen Gerichte, die salzlosen, le-

---

[49] H, I, 311.
[50] Goethe, Hamburger Ausgabe, Bd. 9, Hamburg 1964⁵, S. 258.
[51] Houben, Heinrich Hubert, (Hrsg.), Gespräche mit Heine, Potsdam 1948², S. 19.

dernen Stockfische mit ihrem alten Kohl, die mir in Göttingen vorgesetzt wurden[52]."

Durch die Zusammenführung der beiden Bereiche Universität und Essen – zwei Bereiche, die an sich nichts miteinander zu tun haben – wird bei dem Leser vorausgesetzt, daß er diese „fremden" Bereiche miteinander verbindet. Dieser Witz hat natürlich eine ganz bestimmte Zielrichtung, die hier nicht näher dargestellt werden muß, auf die der Leser aber schon vorbereitet ist.

Ein weiterer Bereich des Witzes bei Heine ist der Vergleich. Bei der Beschreibung Goslars heißt es: „... die Standbilder deutscher Kaiser... sehen aus wie gebratene Universitätspedelle[53]." Auch hier werden zwei völlig fremde Bereiche miteinander in Verbindung gebracht, so daß der witzige Effekt eintritt. Ein zweites Beispiel für den Vergleich ist das Gedicht „König ist der Hirtenknabe". Der Kontext wird schon entsprechend ausgestaltet, wenn Heine von der königlichen Tafel spricht[54] und dann in der ersten Zeile beginnt:

„König ist der Hirtenknabe..."

Der Hofstaat wird Schafen und Kälbern gleichgesetzt, die Hofschauspieler geraten in die Nähe von Erotomanen usw.

Ein weiterer Bereich des Witzes ist der Gleichklang – die Paronomasie; hierbei muß die etymologisch korrekte von der pseudoetymologischen Paronomasie unterschieden werden, wobei die Bedeutungsverschiedenheit eine Rolle spielt: „Hinter Nörten stand die Sonne hoch... Die liebe Wirtshaussonne in Nordheim ist auch nicht zu verachten[55]." Hier wird der eine Bereich mit dem anderen scheinbar spielerisch verbunden – ähnlich die „ordentlichen und unordentlichen Professoren"[56].

Ein Beispiel für die pseudoetymologische Paronomasie ist das Ende der Enumeratio in der Einleitung „Profaxen und andere Faxen"[57]. Profax war in der Studentensprache ein Ausdruck für Professor, so daß durch die „Faxen" die Professoren herabgesetzt werden. Auf derselben Ebene liegt das Beispiel von „Hermogenian und Dummerjahn"[58].

[52] G, 17.
[53] G, 31.
[54] G, 45.
[55] G, 17.
[56] G, 14.
[57] G, 13.
[58] G, 16.

Eine weitere Form der Paronomasie tritt dann ein, wenn Neologismen konstruiert werden, deren Elemente so eindeutig sind, daß ein minimaler Kontext den eindeutigen Effekt erreicht hat. Wenn Heine in der „Nordsee III" schreibt, „für das vielzersplitterte Deutschland war es aber eine Wohltat, daß diese Anzahl von Sedezpötchen ihr Regieren einstellen mußten"[59], dann wird die Kontamination – Sedez-Sechzehntelbogengröße und Despot – dem verstehenden Leser offen vorgetragen. Der Minifürst, der sich wie ein Tyrann gebärdet, wird lächerlich gemacht. Genauso ist die berühmte Formulierung von „famillionären"[60] Lotteriekollekteur Hirsch Hyazinth.

Die größte Gruppe der Witze geht von der rhetorischen Figur des Wortspiels aus. Heine verläßt Göttingen und begegnet den Pedellen, die ihn nachweislich wegen der Wirtshausschulden zitiert hatten. Wenn er in diesem Zusammenhang schreibt, „Schäfer begrüßte mich sehr kollegialisch, denn er ist ebenfalls Schriftsteller und hat meiner in seinen halbjährigen Schriften oft erwähnt"[61], dann wird hier deutlich auf die zweite Bedeutung aufmerksam gemacht: Schäfer führt Buch über die Schulden der Göttinger Studenten.

Auf eine weitere Möglichkeit soll noch hingewiesen werden – den Gedankenwitz. Hier muß der Leser die Analogie ebenfalls selbst bilden:

„Freilich, wie in Madagaskar nur Adlige das Recht haben Metzger zu werden, so hatte früherhin der hannövrische Adel ein analoges Vorrecht, da nur Adlige zum Offiziersrange gelangen konnten[62]."

Alle diese rhetorischen Figuren im Bereich des Witzes haben einen auf Mißstände hinweisenden Charakter – dieser Effekt ist auch bei der Ironie zu beobachten. Sie lebt vom Unterschied zwischen der Rollenrede und der tatsächlichen Sprechermeinung, wobei nicht totale Täuschung beabsichtigt ist, sondern der Leser soll die Ironiesignale erkennen. Der satirische Text, der vor allem die Aufklärung will, lebt fast nur von der Ironie, weil es dem Leser anheimgestellt ist, durch rationales Entschlüsseln die Aussage zu verifizieren. Satire und Ironie stehen daher in einem gedanklichen Spannungsverhältnis.

---

[59] G, 89.
[60] G, 132.
[61] G, 16.
[62] G, 86.

Die Satire will kritisieren – das müßte eigentlich dadurch geschehen, daß ein Mißstand offen dargelegt wird. Da nun auf der anderen Seite die Ironie ein Mittel der Satire ist, die Ironie aber verhüllt, kann die Wirksamkeit der Satire oft problematisch sein. Die Ironie spornt den Leser zu einer Denkleistung an, er kann den aufklärenden Effekt aber dann nicht verstehen, wenn er die ironischen Signale nicht erkennt. Im folgenden nun einige Beispiele der Ironie: Die eine Möglichkeit besteht in der Wortironie – in der „Harzreise" heißt es bei der Abendmahlzeit auf dem Brocken:

> „Ein junger Burschenschafter, der kürzlich zur Purifikation in Berlin gewesen, sprach viel von dieser Stadt, aber sehr einseitig[63]."

Purifikation stammt aus dem liturgischen Sprachbereich und heißt „Reinigung". In diesem Zusammenhang muß man wissen, daß die Burschenschaften streng verboten waren und es sich hier um eine Umschreibung eines Verhörs bei der Polizei handelt. Von „Reinigung" im liturgischen Sinn kann hier also nicht die Rede sein – eher von einer Art „Gehirnwäsche".

Eine andere Möglichkeit ist die gedankliche Ironie. Wenn Heine den deutschtümelnden Greifswalder bei dessen Plänen für ein nationales Epos ernsthaft berät und ihn darauf aufmerksam macht, „daß er die Sümpfe und Knüppelwege des Teutoburger Waldes sehr onomatopöisch durch wäßrige und holprige Verse andeuten könne"[64], dann macht er sich über die ganze Mode der Altdeutschen lustig – er zeigt die Sinnlosigkeit dieser Epen. Im Zusammenhang mit der Ironie soll Heine hier selbst noch zitiert werden. Folgender Text belegt, warum gerade er den witzigen und ironischen Stil bevorzugt:

> „Die Schriftsteller, die unter Censur und Geisteszwang aller Art schmachten, und doch nimmermehr ihre Herzensmeinung verleugnen können, sind ganz besonders auf die ironische und humoristische Form angewiesen. Es ist der einzige Ausweg, welcher der Ehrlichkeit noch übrig geblieben, und in der humoristischen und ironischen Verstellung offenbart sich diese Ehrlichkeit noch am rührendsten[65]."

Als letzter Bereich ist die Satire zu erwähnen. Es gibt verschiedene Theorien dazu, daher erfolgt eine Beschränkung auf die Definition des Autors. Heine schreibt:

---

[63] G, 53.
[64] G, 55.
[65] E, V, 291.

„Seitdem es nicht mehr Sitte ist, einen Degen an der Seite zu tragen, ist es durchaus nötig, daß man Witz im Kopf habe... Jener Angriffswitz, den ihr Satire nennt, hat seinen guten Nutzen in dieser schlechten, nichtsnutzigen Zeit. Keine Religion ist mehr imstande, die Lüste der kleinen Erdenherrscher zu zügeln, sie verhöhnen euch ungestraft, und ihre Rosse zertreten eure Saaten, eure Töchter hungern und verkaufen ihre Blüten dem schmutzigen Parvenü, alle Rosen dieser Welt werden die Beute eines windigen Geschlechtes von Stockjobbers und bevorrechtigten Lakaien, und vor dem Übermut des Reichtums und der Gewalt schützt euch nichts – als der Tod und die Satire[66]."

Heine versteht also die Satire als „Angriffswitz"; übertragen auf die „Reisebilder" bedeutet das: Alle Bereiche der Ironie und des Witzes, die sich nicht als Selbstzweck verstehen, sind der Satire zuzuordnen. Eine Sonderform wäre höchstens dann zu beobachten, wenn die Ironie sich auf eine Person z. B. Saul Ascher konzentriert. Dann kann man auch bei Heine von einer Personalsatire sprechen.

d) Das Fragment als literarische Form

Betrachtet man alle Teile der „Reisebilder", so fällt auf, daß sie nach der herkömmlichen Literaturauffassung unvollständig sind: Es fehlt der Schluß, die Abrundung. Heine selbst gebraucht öfter in diesem Zusammenhang den Begriff des Fragments[67] – als Abschluß sogar im Titel des vierten Reisebilderbandes: „Englische Fragmente".

In diesem Zusammenhang sollen einige Hinweise gegeben werden, die verschiedene Möglichkeiten der Deutung offenlassen. Eine Möglichkeit der Deutung besteht darin, daß Heine hier einen Reflex auf die objektive Realität ausgestaltet – nur im Fragment kann die totale gesellschaftliche Wirklichkeit abgebildet werden. Daher müssen in das Fragment Märchen und Sagen, literarische, kunsthistorische und philosophische Exkurse, Naturbeschreibungen, Gesellschaftsskizzen und Charakteristiken eingewoben werden. Nur durch den ständigen Wechsel ist es Heine möglich, so viel gesellschaftliche Realität einzubauen. Die Schlußfolgerung wäre dann, daß im Frag-

---

[66] Heinrich Heine, Werke und Briefe, hrsg. von Hans Kaufmann, Berlin/Weimar 1972², Bd. 4, S. 239.

[67] „Ideen. Das Buch Le Grand" nennt er ein „selbstbiographisches Fragment", H, I, 286/287.
E, III, 543 heißt es von den Italienpassagen „italienische Fragmente".
Die „Bäder von Lucca" benennt er „Fragment eines größeren Reiseroman" H, I, 406.

ment gleichsam der fragmentarische Charakter der Gesellschaft wiedergegeben wird.

Ein anderer Gesichtspunkt ist, daß durch den fragmentarischen Charakter der Leser gezwungen wird, aktiv bei dem Verstehensprozeß mitzuarbeiten. Darüber hinaus wird er indirekt aufgerufen, die oben benannten fragmentarischen Zustände zu verbessern. Auf keinen Fall sollte man den fragmentarischen Charakter als eine Nachahmung des romantischen Stilelementes sehen, wo es um Subjektivität und Willkür im Sinne einer unendlichen Gestaltung geht.

In diesem Zusammenhang ist auf Heines Äußerung am Ende der „Harzreise" hinzuweisen:

> „Die ‚Harzreise' ist und bleibt Fragment, und die bunten Fäden, die so hübsch hineingesponnen sind, um sich im Ganzen harmonisch zu verschlingen, werden plötzlich, wie von der Schere der unerbittlichen Parze, abgeschnitten. Vielleicht verwebe ich sie weiter in künftigen Liedern, und was jetzt kärglich verschwiegen ist, wird alsdann vollauf gesagt. Am Ende kommt es auch auf eins heraus, wann und wo man ausgesprochen hat, wenn man es überhaupt nur einmal ausspricht[68]."

Zwei Elemente lassen sich klar erkennen, die die Texte zu einem kompositionellen Ganzen werden lassen: die leitmotivisch durchgeführten Ideen und die poetischen Motive.

e) Inhaltliche Schwerpunkte der „Harzreise"

Auch wenn in der letzten Zeit oft versucht wurde, die „Harzreise" nach neuen inhaltlichen Gesichtspunkten zu ordnen – z. B. als einen Antiwerther[69] –, so ist es für den literaturdidaktischen Zweck sinnvoll, die ohne größeres Vorwissen wichtigen Themen zu analysieren.

– Wissenschaftskritik

Ein durchgehender Gedanke in der Harzreise ist die Kritik an den bestehenden Verhältnissen im wissenschaftlichen Bereich, wobei die verschiedenen Schwerpunkte dieses Themas immer wieder aufgegriffen, miteinander verknüpft und dargestellt werden. Ein erster Ansatzpunkt in diesem Zusammenhang sind die Studenten – schon in dem Satz[70]: „Im allgemeinen werden die Bewohner

---

[68] G, 67.
[69] vgl. z. B. Hermand, Jost, Werthers Harzreise. In: Jost Hermand, Von Mainz nach Weimar. 1793–1919. Studien zur deutschen Literatur, Stuttgart 1969, S. 129–151.
[70] G, 14.

Göttingens eingeteilt in Studenten, Professoren, Philister und Vieh" wird signalisiert, was eine Absicht dieser Antiklimax ist. Auch die Studenten – eigentlich geistige Avantgarde – sind nicht in der Lage, sich über den geistigen Stand der Kühe zu erheben. Ihr Geist weist keine großen zukunftsweisenden Potenzen auf. Aus Heines Sicht liegt die Ursache einmal darin, daß sie unfähig sind, größere politische Zusammenhänge zu durchschauen – vgl. die abendliche Kneipszene in dem Brockenhaus[71], zum anderen bewegen sie sich in Gruppen, die ihnen den Blick für die wahren gesellschaftlichen Verhältnisse verstellen – siehe Burschenschaften[72].

Sehr viel gewichtiger ist die Kritik an den Menschen, die Wissenschaft vorantreiben und vertreten sollen, den Professoren. Hier schildert Heine zuerst die Polyhistorie und Scheingelehrsamkeit. Diese Art der Gelehrsamkeit ist seit dem 17. Jahrhundert in Deutschland zu finden: Pedantische Selbstgenügsamkeit führte nicht dazu, wissenschaftliche Probleme zu stellen, vielmehr betrachtete man es als höchste Aufgabe, Notizen zu sammeln und zu veröffentlichen[73]. Neben der Polyhistorie geht es Heine um die ,,Systemchen" und ,,Hypotheschen"[74], wobei ein Beispiel der Dienst für die Göttin Hertha in der ,,Nordsee. III"[75] ist. Polyhistorie und Hypothesenbildung zeichnen sich dadurch aus, daß Vielwisserei mit Wissenschaft verwechselt wird.

Ein anderer Bereich sind die ,,Systemchen", die Heine an zwei Beispielen vorführt: die ,,Göttinger Damenfüße"[76] und die ,,Ideen"[77]. Heines Kritik an der Systematisierung ist aber nur vordergründig zutreffend – ebenso wie bei den Bereichen der Polyhistorie und Hypothese als wissenschaftliche Eigenheiten zu Beginn des 19. Jahrhunderts.

Die Schlüsselszene für Heines Wissenschaftskritik ist der erste Traum. Das Thema wird schon angedeutet, wenn es heißt:

---

[71] G, 52.
[72] G, 13 f.
[73] vgl. G, 15.
[74] G, 19.
[75] G, 85.
[76] G, 14 ff.
[77] R, 44 f.

„Ich war die letzte Zeit nicht aus dem Pandektenstall herausgekommen, römische Kasuisten hatten mir den Geist wie mit einem grauen Spinnweb überzogen, mein Herz war wie eingeklemmt..."[78]

Die Juristerei – symbolisch für die Wissenschaft stehend – verarmt den Menschen, ja sie beengt ihn sogar. Im Traum selbst tauchen die Hauptverfechter der Historischen Schule und damit des Römischen Rechts – der Hofrat Rusticus = Prof. Bauer und Justizrat Cujacius = Prof. Hugo – auf, um bei der griechischen Göttin Themis ein wissenschaftliches Symposium abzuhalten. Anfangs macht sich Themis noch über die Professoren lustig, wenn sie an Hugo gewendet, auf dessen Streit mit dem Heidelberger Professsor Thibaut anspielt: Nämlich wie der Artikel D. 43.27 unter der Überschrift „De arboribus caedendis" Fr. I, § 7 des Corpus iuris civilis auszulegen sei – sollen Bäume an der Grundstücksgrenze 15 Fuß von oben oder von unten beschnitten werden?

Die Beschreibung dieser und weiterer Juristen macht deutlich, daß Wissenschaft zum Selbstzweck geworden ist: „...mit breiter Selbstzufriedenheit gleich drauf los definierten und distinguierten[79].

Die Natur wird beschnitten und dient nur noch der Auslegung von römischen Rechtsartikeln. Diese Auffassung von Wissenschaft korrespondiert mit Saul Aschers Tendenz „alles Herrliche aus dem Leben"[80] herauszuphilosophieren.

Es ist nur verständlich, wenn die Göttin verzweifelt, solange dem Prometheus durch diese Art von Wissenschaft nicht geholfen wird. Wenn man voraussetzt, daß Prometheus primär als Sinnbild der geknechteten Menschheit steht, dann muß kurz dargelegt werden, warum diese Art der Rechtswissenschaft nicht der Emanzipation dient.

Heine beschreibt in verschlüsselter Form die Restitution des römischen Rechts. Mit dem Aufkommen des Bürgertums erlebt das Römische Recht vor allem deshalb eine Wiedergeburt, weil hier individuelle Verkehrsformen auf Rechtsansprüche und Verkauf zurückgeführt werden. Wenn es im bürgerlichen Konkurrenzkampf darum geht, die Aneignung der Natur in geregelter Form durchzuführen, dann dient das römische Recht dazu, Privateigentum zu

---

[78] G, 15.
[79] G, 19.
[80] G, 35.

schützen. Die Konsequenz dieser Rechtsauffassung ist es, daß Freiheit nur durch Eigentum garantiert wird. Umgekehrt ist der Besitzlose unfrei. Vorher wurden beim Naturrecht die Rechte des Menschen aus der Natur abgeleitet – jetzt aus dem Privatbesitz. Noch kurz vor seinem Tod beschreibt Heine sehr deutlich seinen Standpunkt zu dieser Rechtsschule in den „Memoiren":

> „Welch ein fürchterliches Buch ist das Corpus Juris, die Bibel des Egoismus. Wie die Römer selbst blieb mir immer verhaßt ihr Rechtskodex. Diese Räuber wollten ihren Raub sicherstellen und was sie mit dem Schwert erbeutet suchten sich durch Gesetze zu schützen; deshalb war der Römer zur gleichen Zeit Soldat und Advokat. Wahrhaftig jenen Dieben verdanken wir die Theorie des Eigentums, das vorher nur als Tatsache bestand, und die Ausbildung dieser Lehre in ihren schnödesten Konsequenzen ist jenes gepriesene römische Recht, das allen unseren heutigen Legislationen, ja allen modernen Staatsinstitutionen zu Grunde liegt, obgleich es im grellsten Widerspruch mit der Religion, der Moral, dem Menschengefühl und der Vernunft. Ich brachte jene gottverfluchten Studien zu Ende, aber ich konnte mich nimmer entschließen von solcher Errungenschaft Gebrauch zu machen, und vielleicht auch weil ich fühlte, daß andre mich in der Advokasserie und Rabulisterei überflügeln würden, hing ich meinen juristischen Doktorhut an den Nagel[81]."

Heine weist in seinen verschiedenen Werken immer wieder auf diese Umkehrung des Wissenschaftsgedankens hin. Nicht die Wissenschaft dient dem Menschen, sondern umgekehrt, der Mensch wird ein Knecht der Wissenschaft; die Wissenschaft sollte speziell der Emanzipation der Menschheit dienen, sie wird aber ein Mittel zur Legitimation der Unterdrückung. Diese Analyse des Traumes muß aber nicht die einzige Möglichkeit sein. Das Bild des Prometheus kann auch auf Napoleon bezogen werden. Heine sieht in Napoleon den Titanen, „der den Göttern [absoluten Monarchen] das Licht raubte und für dieses Vergehen auf einem einsamen Felsen [St. Helena], mitten im Meere, angeschmiedet wurde, preisgegeben einem Geier [St. Hudson Lowe, Gouverneur auf St. Helena], der täglich sein Herz zerfleischte[82]."

Auch in der französischen Übersetzung der „Harzreise" wird auf den Bezug zu Napoleon hingewiesen: Dort wird die „stumme Gewalt", die den Prometheus an den „Marterfelsen" „schmiedet"[83],

---

[81] Heine, Heinrich, Sämtliche Werke, Hrsg. Oskar Walzel, Bd. 10, S. 13 f., Berlin 1910 ff.
[82] E, III, S. 273.
[83] G, 19.

mit „la violence muette de la sainte alliance"[84] übersetzt, also ein deutlicher Hinweis auf die restaurativen Fürsten. Aber auch dieser Bezug zum Helden und Vollender der Französischen Revolution aus Heinescher Sicht stimmt noch mit Heines Überlegungen zum Wissenschaftsprinzip überein, weil der französische Code civil die Legitimierung der Französischen Revolution ist.

– Natur und Struktur

Der Harz war als Thema für eine Reisebeschreibung uninteressant, da es einmal zahlreiche Schilderungen dieser Landschaft gab, zum anderen wegen der etwas abseits gelegenen Landschaft weder politisch noch gesellschaftlich über Besonderheiten zu berichten war. Auch die Natur an sich – vorwiegend Fichten- und Mischwald – konnten keine Themen für einen längeren Text bieten. Dennoch spielt die Natur unter einem ganz bestimmten Blickwinkel die entscheidende Rolle: Wenn man die verschiedenen Personen, die der Erzähler auf seiner Wanderung kennenlernt, näher betrachtet, so fällt auf, daß in Varianten das Thema „Natur" zur Sprache kommt: Zum Beispiel trifft der Erzähler den kleinen Jungen bei Lerbach; dieser „stand mit den Bäumen in gar eigenem Einverständnis; er grüßte sie wie gute Bekannte"[85]. Der Hirte betrachtet die Natur als sein Königreich: „Grüner Hügel ist sein Thron"[86]. Hier sind noch idyllische, unverbildete Beziehungen zur Natur zu beobachten. Eine andere Perspektive nimmt der „wohlgenährte Bürger von Goslar, ein glänzend wampiges, dummes Gesicht"[87] ein. „Er machte mich auch aufmerksam auf die Zweckmäßigkeit und Nützlichkeit in der Natur. Die Bäume sind grün, weil Grün gut für die Augen ist[88]." Für den Mann aus Goslar ist die Natur ein Objekt, zu dem man ein distanziertes Verhältnis hat und das unter reinen Nützlichkeitsaspekten betrachtet wird. Ähnlich sieht es bei Saul Ascher aus, der „In seinem Streben nach dem Positiven... alles Herrliche aus dem Leben herausphilosphiert, alle Sonnenstrahlen, allen Glauben und alle Blumen..."[89]. Und wenn „der schweigsame Begleiter" auf dem Brocken die Staubfäden zählt und trocken bemerkt: „Sie [die

84 E, III, 511.
85 G, 22f.
86 G, 45.
87 G, 37.
88 G, 38.
89 G, 35.

Blume] gehört zur achten Klasse"[90], dann ärgert sich Heine über diese Klassifizierung. Im Gegensatz zu dieser rationalistischen Betrachtungsweise stehen die Naturanbeter auf dem Brocken: „Es ist ein erhabener Anblick, der die Seele zum Gebet stimmt. Wohl eine Viertelstunde standen alle ernsthaft schweigend und sahen, wie der schöne Feuerball im Westen allmählich versank; die Gesichter wurden vom Abendrot angestrahlt, die Hände falteten sich unwillkürlich; es war ,als ständen wir, eine stille Gemeinschaft, im Schiffe eines Riesendoms, und der Priester erhöbe jetzt den Leib des Herrn, und von der Orgel herab ergösse sich Palestrinas ewiger Choral[91]."

Man könnte auf den ersten Blick vermuten, die Zuschauer befänden sich bei der Abschlußmesse einer großen Wallfahrt – der Brocken als heilige Stätte einer nicht mehr vorhandenen unverbildeten Natur. So entsteht auch bei den Betrachtern des Sonnenuntergangs ein sentimentaler Zug, der sich nur aus dem gebrochenen Verhältnis dieser Menschen zur Natur erklären läßt. Ihnen fehlt die „Unmittelbarkeit"[92], um noch ein ungebrochenes Naturbild zu haben. Die Konsequenz dieses verbildeten Verhältnisses ist bei den Wallfahrern zu beobachten, wenn sie ihr Verhalten mit dem Begriff des „Genießens" zu beschreiben versuchen: „... denn Naturschönheiten genießt man erst recht, wenn man sich auf der Stelle darüber aussprechen kann"[93].

Damit schließt sich der Kreis: Es ist aus der Sicht des Erzählers gleichgültig, ob man ein rationalistisches Verhältnis oder eine sentimentale Beziehung zur Natur hat; das sentimentale Verhältnis kann nur entstehen, weil die Natur unter Nützlichkeitsaspekten betrachtet worden ist, und man sich deshalb wieder zu einem „unmittelbaren" Zustand zurücksehnt, der aber nicht mehr erreicht werden kann.

Für den Erzähler wird damit eindeutig, daß beide Arten von Naturgefühlen unglaubwürdig und widersprüchlich sind. Die „verschimmelten Hochgefühle"[94] legen ein letztes Zeugnis von dieser distanzierten Haltung ab.

---

[90] G, 62.
[91] G, 51.
[92] G, 28.
[93] G, 49.
[94] G, 61.

Die Ursache sieht Heine in der Tatsache, daß die Natur zu einem reinen Dienstleistungsobjekt heruntergewirtschaftet wurde und dem Menschen zu seinem materiellen Fortkommen dient. Technisch-industrieller Fortschritt steht in engstem Verhältnis zu sentimentaler Gefühlspose.

Eine Gruppe von Personen scheint aber noch ein ungebrochenes Verhältnis zur Natur zu haben: die Bergleute in Klausthal. Bei dem Besuch ihrer Haushalte gerät der Beobachter ins Schwärmen: „So stillstehend ruhig das Leben dieser Leute scheint, so ist es dennoch ein wahrhaftes, lebendiges Leben[95]." Hier ist noch ein „tiefes Anschauungsleben"[96] zu finden, das durch eine enge Verbindung zur Natur konstituiert wird. Im Gegensatz zu der bürgerlichen Welt, die ein gestörtes Verhältnis selbst zu der unmittelbaren Umgebung hat – „selbst unsere Kleider bleiben uns fremd"[97] – sind die Menschen mit ihrem „Denken und Fühlen" den nächsten Gegenständen „innig verwachsen"[98]. Der moderne Mensch dagegen steht mit seiner „inneren und äußeren Geschichte"[99] ohne einen natürlichen Zusammenhang da. Daher kommt es auch, daß zwischen dem oben erwähnten Knaben aus Lerbach, dem Hirtenjungen und der beschworenen Kindheit – „ist unser Leben in der Kindheit so unendlich bedeutend"[100] – die Gemeinsamkeit in der „Gleichmäßigkeit" besteht[101].

Dieses natürliche Verhältnis zur nächsten Umgebung und damit zur Natur zeigt aber auch hier Hinweise der Auflösung. Nur noch zu Hause ist der Zustand gewahrt. Im Schacht sehnen sich die Bergmänner nach dem „lieben Tageslicht, und nach den Augen von Weib und Kind"[102]. Und nicht umsonst werden vom Erzähler die Anmerkungen zu Lafayette und der deutschen Treue in diesem Zusammenhang gemacht.

Hat nun der Erzähler selbst – im Gegensatz zu den vielen beschriebenen Personen – ein richtiges Verhältnis zur Natur? Da es die

[95] G, 27.
[96] G, 28.
[97] G, 28.
[98] G, 28.
[99] G, 28.
[100] G, 28.
[101] a. a. O.
[102] G, 26.

kindliche Idylle der Knaben, die sich auflösende „Unmittelbarkeit"
der Bergleute, die rationalistische und damit sentimentale Haltung
der Bürger gibt, und all diese Haltungen entweder nicht richtig oder
auf die Dauer nicht tragbar sind, müßte der Erzähler den richtigen
vorbildhaften Standpunkt einnehmen. Dieser Erzähler unternimmt
die Reise, weil er „die letzte Zeit nicht aus dem Pandektenstall herausgekommen"[103] und in der Natur Heilung sucht: „...jeder Na-
turanblick krampfstillend und gemütberuhigend wirkt[104]." In der
ersten Auflage schreibt Heine noch 1826: „Mein Gemüth war, je
mehr ich mich von Göttingen entfernte, allmählig aufgethaut, wieder wie sonst wurde mir romantisch zu Sinn, und wandernd dichtete
ich folgendes Lied:"[105]. Später ist von der erwarteten Heilung durch
Natur nur noch wenig zu entdecken. Ebenfalls wirkt der Versuch,
die Natur darzustellen, relativ nüchtern, vor allem, wenn Heine sich
bemüht, Natur und Gefühle in einen engeren Zusammenhang zu
bringen: „Unendlich selig ist das Gefühl, wenn die Erscheinungs-
welt mit unserer Gemütswelt zusammenrinnt, und grüne Bäume,
Gedanken, Vögelgesang, Wehmut, Himmelsbläue, Erinnerung und
Kräuterduft sich in süßen Arabesken verschlingen[106]." Und von
Ironie ist wenig zu erkennen, wenn Heine im folgenden Satz
schreibt: „Die Frauen kennen am besten dieses Gefühl..." Damit
wird deutlich, daß er auch für sich selbst in Anspruch nimmt, in einem gebrochenen Verhältnis zur Natur zu stehen. Nicht umsonst
läßt er die Natur daher als Dichter auftreten: „Wie ein guter Dichter, liebt die Natur keine schroffen Übergänge[107]." So wird die Natur als ein Künstler verstanden. Kehrt man zurück zu seinen Überlegungen zur „Unmittelbarkeit", so wird deutlich, daß er seine eigene
Position – ob er will oder nicht – der des Bürgers näher findet, weil
dieser schon zu sehr verbildet ist.

Innerhalb der Handlungsstruktur spielt die Natur eine tragende
Rolle. Heine beschreibt den ersten Teil seiner Reise, wobei er einen
Ablauf von sechs Tagen und fünf Nächten konstruiert. Dabei
schließt jeder Tag mit einem Traum ab, einzige Ausnahme ist die
„Berg-Idylle", die für einen Traum steht. Dabei ist festzustellen,

---

[103] G, 15.
[104] G, 22.
[105] E, III, 512.
[106] G, 65.
[107] G, 22.

daß bei den Tagesbeschreibungen die Gegenstände der Natur über-
wiegen, die Träume den städtischen, wissenschaftlichen Verhältnissen gewidmet sind. Man könnte also von einem Gegensatz Stadt –
Land sprechen. Auffallend ist aber der Übergang von den Träumen
zum Tag: Nach dem ersten Traum heißt es: ,,Die liebe, goldene
Sonne schien durch das Fenster..."[108]; auf den zweiten Traum folgt
die Feststellung: ,,... Bäume wurden von der lieben Sonne goldig
angestrahlt..."[109]. Nach dem dritten Traum – Saul Ascher – versucht die Sonne die Nebel zu verscheuchen[110], auch nach der
,,Berg-Idylle" geht die Sonne auf[111] und nach dem letzten Juristen-
traum wird die Sonne mehrfach genauer beschrieben[112]. So wird
auch deutlich, warum gerade die Sonne nach den Träumen, die sich
mit der traurigen gesellschaftlichen Realität befassen, erscheint. Sie
ist das ,,Sinnbild der Wahrheit"[113].

– Gesellschaft und Restauration

   Neben den beiden Themen Wissenschaft und Natur ist als das
   dritte strukturbildende Element die Beschreibung der gesellschaftlichen Zustände in Deutschland zu nennen. Dabei geht
   Heine in allen Reisebilderbänden nach folgender Grundeinteilung
   vor: Die Gesellschaft gliedert sich in zwei Parteien, die fortschrittlichen und die rückwärts gewandten Gruppen. Zu der Partei des
   Rückschritts und der Restauration im weitesten Sinn gehören –
   geordnet nach der Wichtigkeit und politischen Potenz – die Aristokraten und deren Staatsmänner und Politiker, die Philister als
   unpolitische und damit geduldig ertragende, sich anpassende Bürger und die rückwärtsgewandten deutschtümelnden Studenten.
   Die Fortschrittspartei verkörpert in der ,,Harzreise" der ,,Ritter
   vom heiligen Geist". Diese Einteilung in gesellschaftliche Gruppen – nicht nur in Deutschland, sondern auch in den anderen von
   ihm beschriebenen Ländern – hält während des ganzen Aufenthalts in Deutschland an, und ermöglicht dem Leser, die gedankliche Entwicklung Heines leichter nachzuvollziehen. Die briefliche
   Äußerung Heines aus dem Jahr 1828: ,,Es giebt in Europa keine

---

[108] G, 20.
[109] G, 29.
[110] G, 37.
[111] G, 44.
[112] G, 59f.
[113] G, 61.

Nazionen mehr, sondern nur Partheyen"[114] charakterisiert diesen Analyseansatz Heines treffend.

An einigen Beispielen läßt sich Heines Position gegenüber der Aristokratie deutlich zeigen. Wenn Heine in einer später gestrichenen Stelle schreibt: „Auch länger als diese [neue Gebäude] pflegt sich solche Ruine zu erhalten, trotz ihres morsch verfallenen Ansehns. Wie den Burgen gehts auch den alten Geschlechtern selbst"[115], dann steht für ihn die Burgruine als Symbol für den Zustand der Aristokraten. Diese existieren zwar noch mit all ihren Privilegien, sie sind aber kaum mehr lebensfähig; sie sind dennoch bemüht, den alten Zustand zu erhalten.

Kurz darauf spricht Heine von den „privilegierten Raubvögeln, die auf ihre schwächliche Nachbrut bloß den starken Appetit vererbten[116]." Die Aristokraten leben auf Kosten der breiten Masse, sie haben aber nicht mehr die Legitimation, die ihnen im Mittelalter als der stärkeren Gruppe zugeschrieben wurde. Die Nachkommen der Ritterschaft des Mittelalters sind zu schwach und nicht geeignet, ein Volk zu führen. In der „Reise von München nach Genua" heißt es zur Legitimation des Adels: „Mögen immerhin einige philosophische Renegaten der Freiheit die feinsten Kettenschlüsse schmieden, um uns zu beweisen, daß Millionen Menschen geschaffen sind als Lasttiere einiger tausend privilegierter Ritter, sie werden uns dennoch nicht davon überzeugen können, solange sie uns, wie Voltaire sagt, nicht nachweisen, daß jene mit Sätteln auf dem Rücken und diese mit Sporen an den Füßen zur Welt gekommen sind[117]." Heine kämpft also für die Gleichheit, die er in dem Sinn Rousseaus und Montesquieus versteht und deren erste Verwirklichung er in der Französischen Revolution sah. Damit korrespondieren auch seine Gedanken in der „Berg-Idylle"[118]:

„Alle Menschen, gleich geboren,
sind ein adliches Geschlecht."

Wie widersinnig der Führungsanspruch des Adels ist, zeigt sich auch in seiner Doppelmoral – er studiert „Humaniora" und jagt dennoch

---

[114] H, I, 382.
[115] E, III, 511.
[116] E, III, 512.
[117] E, III, 275.
[118] G, 41.

gleichzeitig Menschen, diese Gruppe hat sich aus der Sicht Heines disqualifiziert[119].

An mehreren Stellen der „Harzreise" verweist Heine auf den Mißstand der aristokratischen Herrschaft, so z. B. in der allegorischen Darstellung des diplomatischen Ballets, denn hier gehen alle grotesken Bemühungen auf Kosten des Vaterlandes und damit des deutschen Volkes, während eine privilegierte Schicht sich vergnügt; ihre Regierungsqualitäten erweisen sich als schlecht und unglaubwürdig. Auch der Traum in Klausthal kann in diesem Sinn verstanden werden[120]: Der Erzähler – der „Ritter vom heiligen Geist" – kämpft gegen die Zwerge, denn diese sind die Aristokraten, die sich, wie in der Realität tatsächlich vorgekommen, im Bergwerk aufhalten. Sie sind gegen Freiheit, Gleichheit und Brüderlichkeit und wollen ihre alten Privilegien beibehalten, während der „Ritter vom heiligen Geist" die Prinzessin – das Volk befreien will.

Der Gleichheitsgedanke gilt nicht nur für das deutsche Volk, sondern auch für die Menschen, die noch weniger Rechte haben, die Juden. Zahlreich versteckte Anspielungen weisen auf die verschärfte Benachteiligung dieser Gruppe hin[121]. Inwieweit die Kirche als Helfer für diesen anachronistischen Zustand der Unfreiheit und Ungleichheit eintritt, zeigt sich in den anderen „Reisebildern" – vor allem in „Italien. Die Stadt Lucca"[122].

Neben den Aristokraten und der Kirche als Institution sind die „Philister" als ein Ansatzpunkt der Gesellschaftskritik zu nennen. Die Philister waren bei den Romantikern – vor allem bei Eichendorff und Brentano – Typen aus der klein- und mittelbürgerlichen Welt, die sich durch einen äußerst beschränkten Horizont und starre Lebensformen auszeichneten. Der romantische Erzähler floh vor dieser Philisterwelt und wollte durch die Flucht in die Idylle gleichzeitig den untätigen, biedermeierlichen Menschen kritisieren. Heine geht darüber hinaus, denn schon in der „Harzreise" ist der Philister ein Bundesgenosse und Helfer der Aristokratie – diese Perspektive ist bei den Romantikern nicht zu beobachten. Philister und den Philistern ähnliche Typen tauchen in der „Harzreise" in zahlreichen

---

[119] G, 82.
[120] G, 30f.
[121] vgl. z. B. G, 24 und G, 82.
[122] s. u. S. 73f.

Variationen auf. Da sind einmal die Göttinger Philister, die der Erzähler mit dem „Kot am Meer"[123] vergleicht; auch der „junge Handlungsbeflissene" in Klausthal[124], der „wie ein Affe" aussah, zählt zu dieser Gruppe. Der „wohlgenährte Bürger aus Goslar", der aussah „als habe er die Viehseuche" erfunden[125], ist ebenfalls ein Angehöriger dieser Spezies, erinnert sei an den Begleiter der beiden Damen auf dem Brocken[126], den Zimmergenossen im Brockenhaus mit seinem „Gesundheitsflanell"[127] und zahlreiche Studenten auf dem Brocken, so daß Heine beim Abschied vom Brocken die ganze Gesellschaft als einen „großen Philistertroß"[128] charakterisiert. Auch im Anhang begegnet man noch einmal dem Philister in Form eines Hamburger Bürgers, der sich durch ein „spitzbübisches Manufakturwaren-Gesicht"[129] auszeichnet. Am Ende der deutschen Periode spricht Heine in den „Englischen Fragmenten" sogar von ganz Deutschland als einem „Land der Philister"[130].

Warum äußert sich Heine negativ über diese Menschen? Warum helfen auch diese bei der Restauration des alten Systems? Im Zusammenhang mit seinen Überlegungen zur Unsterblichkeit schreibt Heine: „War es ein Nürnberger Spießbürger, der, mit weißer Nachtmütze auf dem Kopfe und weißer Tonpfeife im Maule, am lauen Sommerabend vor seiner Haustüre saß und recht behaglich meinte: es wäre doch hübsch, wenn er nun so immer fort, ohne daß sein Pfeifchen und sein Lebensatemchen ausgingen, in die liebe Ewigkeit hineinvegetieren könnte[131]!" Heine kritisiert die apolitische Haltung, die sich nicht für die Interessen der Menschen einsetzen kann und will; die Lebensform des Philisters ähnelt daher fast eines Tieres – mit dem Wort „hineinvegetieren" wird der Zustand passend umschrieben.

Auch die deutschtümelnden Studenten, die an zahlreichen Stellen der „Harzreise" beschrieben werden, helfen unbewußt bei der Erhaltung des alten Systems. Schon zu Beginn der Harzreise, wenn

---

[123] G, 14.
[124] G, 24.
[125] G, 37.
[126] G, 50, 62.
[127] G, 59.
[128] G, 61.
[129] G, 69.
[130] E, III, 501.
[131] G, 34 f.

Heine die Verbindungen und ihre pseudoaltertümlichen Sitten karikiert[132], weist er auf diesen Mißstand hin. Am deutlichsten wird
Heine bei der Beschreibung des Greifswalder Studenten, der aussah
,,wie ein Narr in Lebensgröße"[133]. Er will das Mittelalter wieder
herstellen, glaubt an Blücher und plant, ein Epos über Hermann und
die Schlacht am Teutoburger Wald zu schreiben. Aus der Sicht Heines ist der Student ein Betrogener der Herrschenden, weil diese mit
Hilfe der Befreiungskriege gegen Napoleon und der altertümlichen
Propaganda nur ihre eigene Position sichern konnten. Verfassungs-
versprechungen und Zusicherung der Selbstbestimmung des deutschen Volkes haben diese ,,Narren" vergessen.

5. ,,Die Nordsee. Dritte Abteilung"

a) Einführung und Entstehung

Heines Aufenthalte auf der Insel Norderney gehören in die Reihe
der Bäderreisen, die er in den 20ger Jahren vorwiegend auf die noch
zu England gehörende Insel Helgoland unternahm. Hier trafen sich
überwiegend die höheren Schichten Hamburgs, während auf der Insel Norderney die meisten Badegäste aus dem Königreich Hannover
kamen. Einerseits war es seit dem Beginn des 19. Jahrhunderts in
besseren Kreisen Mode geworden, an der See einen Sommerurlaub
zu verbringen, andererseits reiste Heine immer wieder an die See,
weil er sich hiervon eine Verbesserung seines gesundheitlichen Zustandes erhoffte. Auch innerlich fühlte er sich wohl zum Meer hin-
gezogen, wie aus mehreren Briefstellen zu erkennen ist: ,,Die See
war mein einziger Umgang – ich habe nie einen besseren gehabt –
Nächte am Meer, wunderlich, groß[134]." Oder an anderer Stelle
heißt es: ,,Mit meiner Gesundheit geht es immer besser. Zu ihrer
völligen Herstellung brauche ich das hiesige Seebad, und schwimme
wieder auf den Wellen der Nordsee, die mir jetzt sehr gewogen ist,
weil sie weiß, daß ich sie besinge. Das Meer ist ein braves Elle-
ment"[135]. Heine muß der zweite Aufenthalt auf Norderney beson-

---

132 G, 13 f.
133 G, 55.
134 H, I, 286.
135 H, I, 275.

ders gefallen haben – er hielt sich vom 24. VI. bis Mitte September 1826 dort auf. Schon während des Aufenthalts muß er Pläne gehabt haben, diesen literarisch zu verwerten. Am 14. X. spricht er Moser gegenüber von ,,Nordseebriefe[n] worin ich, von allen Dingen und von einigen spreche"[136]. Seine Freunde Moses Moser und Karl Immermann fordert er auf, sich an diesem Werk zu beteiligen, wobei er sie um kritische Beiträge zum ,,Zustand der Wissenschaften in Berlin oder Deutschland oder Europa"[137] bittet. Auch von Varnhagen von Ense fordert er einen Beitrag, wobei er bemerkt: ,,Ich darf jetzt alles sagen, und es kümmert mich wenig, ob ich mir ein Dutzend Feinde mehr oder weniger aufsacke[138]." Nur Immermann schickt ihm Xenien, die Heine dann an das Ende des Textes – siehe G. 97 ff. – setzt. Bei den Bitten an die drei Freunde wird deutlich, daß die Nordseebriefe als eine Arbeit geplant waren, die verschiedene Themen unter einer kritischen Perspektive beleuchten sollten. Ende November 1826 muß Heine wohl mit der Rohfassung des Werkes fertig gewesen sein, denn danach widmet er sich ausschließlich ,,Ideen. Das Buch Le Grand." Am 14. April 1821 erscheint ,,Die Nordsee, Dritte Abteilung" im zweiten Reisebilderband zusammen mit ,,Ideen. Das Buch Le Grand", einer gekürzten Fassung der ,,Briefe aus Berlin" und zahlreichen Gedichten.

b) Form und Fragment

Der gesamte Text ist nicht einer bestimmten literarischen Form zuzuordnen. Der äußere Rahmen ist zwar durch einen fiktiven Betrachter des Geschehens auf der Insel gegeben[139], aber schon das Zeitgerüst des Erzählers ist nicht chronologisch aufgebaut. Der literarischen Form des Reiseberichts nähert sich der Text, wenn er auf die Zustände der Inselbewohner und die Charakteristik der Badegäste eingeht; an ein politisches Traktat wird man bei den Überlegungen zu Napoleon erinnert; die Abhandlungen zu ,,Wolfgang Appol-

---

[136] H, I, 287.
[137] H, I, 287.
[138] H, I, 294.
[139] vgl. z. B. G, 72 ,,...erst im nächsten Monat, im Oktober..."
   G, 79 ,,Es geht ein starker Nordostwind".
   G, 83 ,,...ging ich gestern auf die Jagd".

lo"[140] ähneln einer Literatursatire. Neuerdings wird dieser Mischung der Charakter eines Memoires zugeschrieben.

Am Ende von Nordsee III schreibt Heine: „Da ich mich selbst erst späterhin über dieses Thema, über deutsche Literaturmisere verbreiten will, so liefere ich einen weiteren Ersatz…"[141]. Auch hier deutet der Erzähler an, daß er selbst den Text nicht als abgerundet, vollendet und damit in sich geschlossen empfindet. Er sieht den bruchstückhaften Charakter des Textes und fordert sich selbst indirekt vor der Öffentlichkeit auf, das Thema weiter zu führen. Am Beispiel von Nordsee III kann gezeigt werden, daß es keine sachlichen Kriterien gibt, die es erlauben, eine Unvollständigkeit im Inneren sicher zu erkennen. Äußerlich sind fast alle Werke der Schaffensperiode aus der Reisebilderzeit Fragment. Das Geschehen – hier der Badeaufenthalt auf Norderney – wird auf eine bloße Gerüstfunktion des Erzählvorgangs beschränkt. Innerhalb dieses Gerüstes sind die einzelnen Themen dann aber so ausgefüllt und abgerundet, daß sie für sich stehen könnten.

Auf S. 82 wird zum Beispiel das Thema Herrschaft und Unterdrückung ausgeführt. Heine geht von den Vergnügen der Badegäste am Strand aus, zeigt am Beispiel des Antisemitismus die Lust des Menschen, den Außenseiter – trotz der Erziehung zur Humanität – zu quälen und erzählt die Anekdote vom Schnelläufer, der für Geld von den „Humaniora" studierenden Junkern gehetzt wird – „und es war ein Mensch". Damit ist alles gesagt, der Schnelläufer steht für die unterdrückten Menschen – die Junker für die brutalen Herrscher, die trotz aller Bildung eine geheuchelte Doppelmoral an den Tag legen. Der Leser wird durch die ironische Pointe von den „Humaniora" studierenden Junkern, die Menschen jagen, aufgefordert, diesen Zustand zumindest zu erkennen und die Doppelmoral der Herrschenden kritisch zu überprüfen. Die Personifikation drückt das gesamte menschliche Elend aus. An diesem Beispiel wird deutlich, daß das äußere Handlungsgerüst nur sekundär ist. Die Aufmerksamkeit gilt ganz der inneren Ausgestaltung. Aufgabe des Handlungsgerüstes – hier der Jagd am Strand – kann es bei dieser Erzähltechnik nur sein, eine gewisse Anzahl von Themen zur Verfügung zu stellen, die dann gehaltlich ausgestaltet werden können und

---

[140] vgl. DHA, VI, 739.
[141] G, 97.

müssen. Heine schreibt in den „Französischen Malern": „Es dünkt mir aber des höchsten Preises wert, wenn die Symbole, womit der Künstler seine Idee ausspricht, abgesehen von ihrer inneren Bedeutsamkeit, noch außerdem an und für sich die Sinne erfreuen"[142]. Auch für ihn gilt dieser Maßstab. Er sieht das Zerrissene im Detail und nicht im großen Gesamtrahmen.

Damit wird deutlich, daß es hier weniger um eine Ästhetik des Inhalts als um eine Ästhetik des Gehalts geht. Bezogen auf „Nordsee III" und alle anderen Texte der „Reisebilder" würde das bedeuten: Wenn die äußere Handlung auch noch weiter ausgebreitet würde – es gäbe keine darauf zu beziehenden Gehalte mehr. Die Handlung stünde funktionslos im Raum und wäre – aus der Sicht Heines – nur noch inhaltsloses Dahinerzählen. In den „Französischen Malern" heißt es in diesem Zusammenhang: „Wer mit den wenigsten und einfachsten Symbolen das Meiste und Bedeutendste ausspricht, der ist der größte Künstler"[143]. Am Beispiel von „Nordsee III" läßt sich zeigen, daß der Schwerpunkt von Heines Erzählkunst in den an sich geschlossenen Kleinformen liegt; diese Kleinformen werden dann, geschickt geknüpft durch den äußeren Erzählrahmen, aneinander gereiht. Die Funktion dieser Gehaltsästhetik ist auf den Leser gerichtet: Er soll sich auf die Aussage konzentrieren und sich mit dieser auseinandersetzen.

Eng verknüpft mit dieser didaktischen Funktion ist die Form des Fragments. Auch hier steht das „einfachste Symbol" – die Verkürzung, der Abbruch – allein und der Leser soll das Fragment innerlich vollenden. In diesem Zusammenhang muß nochmals auf den Schluß der „Harzreise" verwiesen werden – auch hier zeigt Heine über das Werk hinaus – „und was jetzt kärglich verschwiegen ist, wird alsdann vollauf gesagt"[144]. So muß man zu dem Schluß kommen, daß die Summe der Fragmente ein Gesamtwerk bildet. Es werden beispielsweise die einzelnen inhaltlichen Themen immer wieder aufgegriffen und unter einer anderen Perspektive betrachtet; ähnliches gilt für die literarische Form.

---

[142] E, IV, 43.
[143] E, IV, 43.
[144] G, 67.

c) -Assoziationstechnik

Wie geschickt und kunstvoll die einzelnen Themen miteinander verbunden werden, soll an einigen Beispielen erläutert werden: Scheinbar spielerisch spricht Heine davon, daß er allein auf der Insel sei und er sich so ,,vorkomme wie Napoleon auf St. Helena"[145]. Durch diesen Vergleich kündigt er sein neues Thema an und kann nun über dieses Thema reflektieren. Ein anderer Übergang ist ebenfalls in der Form des Vergleichs konstruiert. Heine spricht von der Gedanken- und Gefühlsgleichheit der Insulaner und kommt so auf die Ziele der ,,römisch-katholischen Kirche"[146]. Auch die Jagd am Strand bietet die Möglichkeit auf das Gejagtwerden der Juden hinzuweisen.

Inhaltliches Bindeglied fast aller Übergänge ist der Bezug zu dem fiktiven Aufenthalt des Erzählers auf der Insel Norderney. Oft wird diese Assoziationstechnik aber auch verwendet, um scheinbar nebengeordnete Dinge einfließen zu lassen, so daß dann wieder zum augenblicklichen Hauptthema zurückgekehrt werden kann. So konstantiert Heine den schwachen, zum Absterben verurteilten Zustand der katholischen Kirche[147], stellt bei sich einen protestantischen Blickwinkel fest, kommt damit auf den Begriff der ,,Zerissenheit der Denkweise unserer Zeit", was ihm wiederum die Gelegenheit gibt, das alte Thema – den Zustand der Insulaner – aufzunehmen.

Andere Übergänge sind wesentlich breiter gestaltet: Um zur Verteidigung Goethes zu kommen, braucht er mehrere Passagen, die stichwortartig genannt werden sollen: Sittenverderbnis der Insulaner, deren Schutz durch die Kirche, Faust-Zitat von Karl Philipp Moritz, dessen Wunsch, Bedienter bei Goethe zu werden, Beginn der Apologie für Goethe. Jeder dieser Teile hat natürlich auch eine eigene Aussage; Ziel ist aber dieser längere Text über Goethe. Nach langen Goethepassagen wird schließlich der Übergang zu dem Thema Mythologie durch einen Rückgriff auf die Rahmenhandlung erreicht. Heine nennt den vorangegangenen Text eine ,,Abschweifung"[148] und spricht von ,,Festschwatzen"; aber gerade durch diese scheinbar spielerische, plauderhafte Assoziationstechnik wird der Leser gezwungen mitzudenken.

---

[145] G, 89.
[146] G, 78.
[147] G, 74.
[148] G, 79.

d) Thematischer Überblick

Betrachtet man die „Nordsee III" als Ganzes, so ist eine verwirrende Fülle von Themen zu erkennen, die aber zusammengefaßt wieder auf einen gemeinsamen Nenner zu bringen sind. Rein chronologisch gesehen enthält „Nordsee III" folgende Themen: Zurückgebliebene Insulaner, Unterdrückung der Geistesfreiheit durch die römisch-katholische Kirche, Zerrissenheit der Denkweise unserer Zeit, negative Auswirkungen der Badegäste auf die Insulaner, Goethe, Sagen der Vorzeit, Jagd und Unterdrückung der Menschen, Adel und vornehme Welt, Napoleon, deutsche Literatur.

Schon rein erzählerisch wird der Text durch den Rückbezug und Verweis auf das Meer und den Badeaufenthalt fixiert, wobei das Meer der ruhende Pol der Natur ist und die Freiheit verkörpert[149]. Der Erzähler reflektiert nun über verschiedene Themen, die aus einer ganz bestimmten Perspektive der Zerrissenheit gesehen werden:

> „... und eben dieser Meinungszwiespalt in mir selbst gibt mir wieder ein Bild von der Zerrissenheit der Denkweise unserer Zeit. Was wir gestern bewundert, hassen wir heute, und morgen vielleicht verspotten wir es mit Gleichgültigkeit.
> Auf einem gewissen Standpunkt ist alles gleich groß und gleich klein, und an die großen europäischen Zeitverwandlungen werde ich erinnert, indem ich den kleinen Zustand unserer armen Insulaner betrachte. Auch diese stehen an der Grenze einer solchen neuen Zeit, und ihre alte Sinneseinheit und Einfalt wird gestört durch das Gedeihen des hiesigen Seebades, indem sie dessen Gästen täglich etwas Neues ablauschen, was sie nicht mit ihrer altherkömmlichen Lebensweise zu vereinen wissen[150]."

Das Meer ist in diesem Zusammenhang gleichsam der symbolische Ausdruck der Bewegung des Zerrissenen. Ausgangslage für jedes der oben genannten Themen ist also der „Meinungszwiespalt" des Erzählers; das soll an verschiedenen Themen erläutert werden. Das Eingangsthema ist der kindliche Zustand der Insulaner, „das naturgemäße ineinander-Hinüberleben, die gemeinschaftliche Unmittelbarkeit[151]." Im Gegensatz dazu stellt er den gebildeten Menschen, dessen geistige Einsamkeit er beklagt. Man könnte also meinen, daß diese Insulaner es besser haben als der Intellektuelle Heine; dem ist aber nicht so. Die Insulaner „stehen an der Grenze einer neuen Zeit,

---

[149] vgl. die zahlreichen Hinweise zur Natur z. B. G, 72, 83.
[150] G, 74.
[151] G, 72.

und ihre alte Sinneseinheit und Einfalt wird gestört"[152]. Das Verhalten der Badegäste beeinträchtigt sie in ihrer scheinbaren Idylle und läßt sie in den verschiedensten Beziehungen unsicher werden: z. B. die Eßgewohnheiten oder die Tanzvergnügen. Es werden Bedürfnisse geweckt, die sich nicht mit ihrem ursprünglichen Leben vereinbaren lassen, so daß sie „an der Grenze einer solchen neuen Zeit"[153] stehen.

Aber nicht nur dieser Aspekt, daß die Insulaner unvorbereitet auf eine neue Zeit gestoßen werden, wird hier genannt – Heine lehnt auch die abstumpfende Zurückgebliebenheit dieser Gruppe ab. Denn parallel zu den Bestrebungen der katholischen Kirche ist dieser Zustand des „dumpfen Köhlerglaubens"[154] abzulehnen. Auch hier wird wieder das Moment der Zerrissenheit deutlich.

Es zeigt sich, daß dieses Gefühl der Zerrissenheit, des Weltschmerzes, nicht im privaten Sinn von Liebesglück oder ähnlichem gebraucht wird, sondern daß es hier um den unsicheren Zustand der Welt, die Sinn- und Ziellosigkeit geht. Hier läßt sich auch wieder die Parallele zum Meeresthema herstellen: Bewegung und damit Zerrissenheit.

Heine greift auch später dieses Thema in den „Bädern von Lucca" noch einmal auf und verweist ausdrücklich auf das universale Thema der Zerrissenheit:

„Ach, teurer Leser, wenn du über jene Zerrissenheit [die private] klagen willst, so beklage lieber, daß die Welt selbst mitten entzweigerissen ist. Denn da das Herz des Dichters der Mittelpunkt der Welt ist, so mußte es wohl in jetziger Zeit jämmerlich zerrissen werden...
Durch das meinige ging aber der große Weltriß, und eben deswegen weiß ich, daß die großen Götter mich vor vielen anderen hoch begnadigt und des Dichtermartyriums würdig geachtet haben[155]."

Dem langsam sich auflösenden Stand der zurückgebliebenen Insulaner steht die Gruppe der selbstgefälligen Adligen gegenüber. Daß auch sie ein Anachronismus sind, versteht sich aus der Sicht des Erzählers von selbst. Es ist die Gruppe der auf Jagd gehenden Menschen, und hier bezieht der Erzähler sich vor allem auf die hannoverschen Adligen, die sich durch blinden „Adelsstolz" und „andres-

---

[152] G, 74.
[153] G, 74.
[154] G, 73.
[155] G, 114.

sierte Formen"[156] auszeichnen. Heine kritisiert vor allem deren Selbstwertgefühl, das auf eingebildeten Taten der Vorfahren beruhen soll, und er zeigt deren Lächerlichkeit in dem Bemühen um gutes Benehmen. Aber auch hier setzt er andere Adlige dagegen, die sich durch bescheidene Ansprüche auszeichnen[157].

Wenn Heine Napoleon eine lange Passage widmet, so ist auch diese in dem Zusammenhang der Zerrissenheit zu verstehen. Heine sieht in Napoleon den Politiker, in dem sich zwei Strömungen seiner Zeit vereinigen[158]:

> „Da aber dieser Geist der Zeit nicht bloß revolutionär ist, sondern durch den Zusammenfluß beider Ansichten, der revolutionären und der konter-revolutionären, gebildet worden, so handelt Napoleon nie ganz revolutionär, sondern immer im Sinne beider Ansichten, beider Prinzipien, beider Bestrebungen, die in ihm ihre Vereinigung fanden, und demnach handelte er beständig naturgemäß, einfach, groß, nie krampfhaft barsch, immer ruhig milde."

Man könnte auf den ersten Blick meinen, daß sich hier eine heroische Perspektive des Großen, des Helden, als Lösung anbietet. Aber der Erzähler meldet auch Zweifel an, so daß beim Abwägen der Vor- und Nachteile dem Leser sein Urteil selbst überlassen wird. In diesem Zusammenhang ist auch die Durchsicht und kritische Rezension der Biographien über Napoleon zu sehen: Es werden die progressiven und rückwärtsgewandten Elemente vorgestellt und näher untersucht.

Zusammenfassend kann festgestellt werden, daß dieser Zustand der „Zerrissenheit" in sämtlichen Bereichen zu finden ist: Da ist einmal die Gesellschaft mit ihren einfachen Insulanern – das Volk – und den privilegierten Aristokraten, die umgekehrt wieder die Insulaner in ihren einfachen Lebensformen verunsichern. Dann zeichnet sich außerdem die politische Ordnung Deutschlands durch einen „Seelenschacher im Herzen des Vaterlandes und … blutende Zerrissenheit"[159] aus. Die Folge ist bei dem sehenden, bewußt lebenden Individuum ein Gemütszustand der „zerrissenen Gefühle"[160]. Nur der sinnlos in den Tag lebende Mitbürger kann einem verlogenen

---

[156] G, 88.
[157] vgl. vor allem G, 87/88.
[158] G, 92.
[159] G, 97, vgl. auch G, 89.
[160] G, 79.

Glück nachjagen[161]: „...aber wir wissen auch, daß ein Glück, das wir der Lüge verdanken, kein wahres Glück ist und daß wir, in den einzelnen zerrissenen Momenten eines gottgleichen Zustandes, einer höheren Geisteswürde, mehr Glück empfinden können als in den lang hinvegetierten Jahren eines dumpfen Köhlerglaubens." Eine Folge dieses Zustandes ist in der Literaturmisere zu sehen: einmal die borniertе Art, Goethe zu kritisieren und dann die Produktion überhaupt, die sich nur mit „Bagatell-Literatur" charakterisieren läßt[162]. Nur so läßt sich erklären, daß Heine ein Motto für „Nordsee III" wählte, das den Zustand der Zersplitterung Deutschlands beschrieb[163].

Zweck dieser „Denkschrift" in assozierender Form ist es also, dem Leser den Zustand der Unsicherheit und Standpunktlosigkeit deutlich zu machen. Eine neue Zeit wird kommen, wie diese im einzelnen aussehen wird, kann auch der Intellektuelle Heine nicht vorhersagen; er weiß nur was an der Gegenwart nicht gut ist und daß die Zukunft „Freiheit und Gleichheit"[164] bringen wird. Aber weil eben alles unsicher und zerrissen ist, spricht er von einer „unerfreulichen Modernität"[165].

6. „Ideen. Das Buch Le Grand"

a) Einführung und Entstehung

„Ideen. Das Buch Le Grand" hat bei den Literaturwissenschaftlern immer zu kontroversen Meinungen und Überlegungen geführt. Aber nicht nur deshalb wurde der Text im Deutschunterricht geflissentlich gemieden. Aus der Sicht des gattungsbewußten Deutschlehrers muß der Text wegen seiner Regellosigkeit und seiner – auf den ersten Blick – unverständlichen Anspielungen ungeeignet sein. Aus der Sicht des Schülers erscheint der Text wegen seines unkonventio-

---

[161] G, 73.
[162] G, 97. Der ursprüngliche Text zur „Bagatell-Literatur" ist im Anhang auf S. 80 ff. abgedruckt.
[163] Vor dem Text in „Reisebilder von H. Heine. Zweiter Theil, Hamburg 1827, S. 41 stand: „Motto: Varnhagen von Enses Biographische Denkmale. I. Th. S. 1.2." Was sich dahinter verbarg ist im Anhang auf S. 82 f. abgedruckt.
[164] G, 95.
[165] G, 93.

nellen Aufbaus anfangs fremd, wenn nicht gar sinnleer, so daß jegliche intrinsische Motivation verlorengeht. Gerade diese Gesichtspunkte machen den Text aber wegen seines innovativen Charakters zu einem Musterbeispiel für die oben formulierten Lernziele[166] und können dem Leser dazu verhelfen, tradierte Lesegewohnheiten abzulegen; darüber hinaus ist es hier möglich, Grundsätze des Jungen Deutschland und gleichzeitig der engagierten Literatur kennen zu lernen.

Ein rein biographischer Ansatz kann den Text nicht verständlicher machen – eine gattungstheoretische Untersuchung müßte in den Anfängen steckenbleiben. Verschiedene Analysen der letzten Zeit haben belegt, daß hier ,,Episodik und Werkeinheit"[167] – also Heines Fähigkeit zur exakten Komposition kleinster Einheiten – mustergültig gelungen ist. Der selbstkritische Heine sprach schon während der Entstehung nur positiv über ,,Ideen. Das Buch Le Grand": ,,Auch den rein freyen Humor habe ich in einem selbstbiographischen Fragment versucht. Bisher hab' ich nur Witz, Ironie, Laune gezeigt, noch nie den reinen, urbehaglichen Humor[168]."

Damit wird schon das erste Kompositionselement genannt, nämlich die Autobiographie. Außerdem sind die ,,Ideen zur Geschichte"[169], an anderer Stelle heißt es ,,die großen Weltinteressen"[170] als ein weiteres Thema zu nennen. Diese werden Gestalt in ,,Napoleon und die französische Revolution"[171]. Eine Verbindung von Weltgeschichte und Individuum entsteht durch die Tätigkeit des Schriftstellers als Künstler, Tribun und Apostel, wobei Heine vor allem dessen gesellschaftliche Stellung und seine politisch-ästhetische Tätigkeit thematisiert – der dritte Bereich dieses Werks. Diese inhaltliche und strukturelle Dreigliedrigkeit wird von Heine selbst genannt: ,,...meine Passion – jetzt ist es Liebe, Wahrheit, Freiheit..."[172], wobei folgende Gleichsetzungen evident sind: ,,Liebe" – Autobiographie des Erzählers (Kapitel I–V, XVI–XX) ,,Freiheit" – Napoleon als Vollender der Französischen Revolution (Kapitel VI–X),

---

[166] s. o. S. 10ff.
[167] vgl. z. B. Möller, Dierk, Episodik und Werkeinheit, Frankfurt 1973.
[168] H, I, 286f.
[169] H, I, 297.
[170] H, I, 306.
[171] H, I, 306.
[172] R 19.

„Wahrheit" – Aufgaben des Schriftstellers (Kapitel XI–XV). Auf den ersten Blick erscheinen die Themen zusammengewürfelt, doch schon bei einer formalen Betrachtung fällt auf, daß die jeweils zehn resp. fünf Kapitel von gleicher Länge sind. Die private Liebesgeschichte ist die Rahmenhandlung für den historisch-politischen und literarischen Teil. Zahlreiche inhaltliche und formale Bezüge innerhalb der jeweiligen Abschnitte verweisen auf die anderen Themen.

Die Komposition „Ideen. Das Buch Le Grand" steht gleichsam stellvertretend für Heines Problematik, der in dieser Mischform zum ersten Mal Memoiren in Anlehnung an Goethe liefern wollte. Heine hat sicherlich wichtige Anregungen von Goethes „Dichtung und Wahrheit" erhalten. Dafür spricht die intensive Beschäftigung mit diesem Werk zur Zeit der Vorarbeiten von „Ideen. Das Buch Le Grand". Über den methodischen Standpunkt der Autobiographie, wie er ihn bei Goethe sieht und wie er ihn zweifellos bei seiner eigenen Arbeit übernommen hat, äußert er sich schon 1822: „Auch hat dieser kräftige Greis, der Ali Pascha unserer Literatur, wieder einen Theil seiner Lebensgeschichte herausgegeben. Diese wird, sobald sie vollständig ist, eins der merkwürdigsten Werke bilden, gleichsam ein großes Zeitopus. Denn diese Selbstbiographie ist auch die Biographie der Zeit. Göthe schildert meistens letztere und wie sie auf ihn einwirkt; statt daß andre Selbstbiographen... blos ihre leidige Subjektivität im Auge hatten"[173].

Die neue Qualität, die Heine in Anlehnung an Goethe der deutschen Memoirenliteratur gibt, besteht aber darin, daß Individuelles nicht nur als Allgemeines, Einzelschicksal nicht nur als Teil der Zeitgeschichte gesehen wird, sondern die Memoiren ein Stück Zeitgeschichte werden und diese Zeitgeschichte nicht Vergangenheitsgeschichte, sondern Geschichte der Gegenwart und Zukunft ist[174].

Schon Heines Zeitgenossen erkannten das Neuartige dieses Prosatyps. Der liberale Varnhagen von Ense schreibt im Jahr 1827: „Durch die Zuschrift dieses Buches an eine Dame, und die zwischen den Vortrag sich unaufhörlich durchdrängende Anrede: Madame! erhält das Ganze, in welchem sich Liebesgeschichte und Volks- und Weltgeschichte und wissenschaftliches und bürgerliches Treiben mit unerschöpflicher Wunderlichkeit der Formen und Übergänge ver-

---

[173] E, VII, 593.
[174] vgl. dazu vor allem: Emmerich, Karl, Heinrich Heines „Reisebilder", Berlin 1965.

56

schränkt, eine noch seltsamere Farbe. Man muß das selbst lesen, um einen Begriff davon zu haben"[175]. Varnhagen sieht die Dreigliedrigkeit im Ansatz und weist so indirekt auf die Innovation dieser Prosa hin. Der Hamburger Gymnasiallehrer Zimmermann erkennt den neuen Typus der Memoirenliteratur, wenn er schreibt: „Hier erhebt sich der Verfasser in Inhalt und Form zu einer Vollendung, welche ihn in die Reihe der ersten humoristischen Schriftsteller Deutschlands versetzt. ... Der Inhalt greift in das innere und äußere Leben der gesellschaftlichen und nationalen Verhältnisse ein und weckt die ernstesten Betrachtungen[176]." Beide erkennen die neuartige Literaturauffassung, die eine neue Form von Prosa verursachen: Nur so kann ein neues gesellschaftliches Bewußtsein, dessen Ursprünge in den Forderungen der Französischen Revolution liegen, ohne besondere Zwänge durch die Zensur dem Leser nahe gebracht werden.

Aber nicht nur hier liegen die Ursachen für die vordergründige Regellosigkeit, sondern sie sind auch in dem von Heine selbst so benannten Fragmentcharakter zu erkennen. Gerade weil Heine die Totalität abbilden will, muß er sich auf das Fragmentarische beschränken. Nur hier können die Gegensätzlichkeiten und damit Einheiten benannt und erfaßt werden. So ermöglicht das Fragment „Ideen. Das Buch Le Grand" eine Verbindung von Individuum und Weltgeschichte, wobei der Schriftsteller als Katalysator die Humanitätsideale der Revolution vertritt.

b) Liebe

Heine stellt die Kapitel I bis V und XVI bis XX unter den Leitgedanken „Liebe", wobei die verschiedensten Variationen durchgespielt werden. Durch das Motto des ersten Kapitels wird die Thematik als etwas Vergangenes, Historisches dargestellt, das für den Erzähler abgeschlossen, aber nicht vergessen ist. Ausgangspunkt für das Textverständnis ist das XVII Kapitel – die, wie der Erzähler ankündigt, „eigentliche Geschichte, die in diesem Buch vorgetragen werden sollte"[177]. Der Ritter erklärt sich seiner Liebsten und wird von dieser abgewiesen. Die nicht erwiderte Liebe wird nun in den verschiedensten Motiven und Varianten durchgespielt. Alle anderen

---

[175] Gesellschafter 82, 23. V. 1827.
[176] Hamburgischer Unpartheiischer Correspondent 84, 26. V. 1827.
[177] R, 61.

Liebeskapitel dienen der Erläuterung, Ergänzung und Auflösung dieses Textes, der „eigentlichen Geschichte".

In Anlehnung an konventionelle Beispiele hätte die „eigentliche Geschichte" nicht an diesem versteckten Ort plaziert werden dürfen. Literarische Vorbilder für dieses Vexierspiel sind Sterne, Diderot und Jean Paul, die diese achronologische Disposition aus mehreren Gründen durchführten: Überraschungseffekte, Leseanreiz und Komik spielen hier eine Rolle. Leichter verständlich wird der Text, wenn man den autobiographischen Hintergrund dieses und der anderen Kapitel berücksichtigt: Es handelt sich um Heines Liebe zu seiner Hamburger Cousine Amalie, die ihn abgewiesen hatte; Heine wurde durch verschiedene Umstände dazu angeregt, dieses Trauma literarisch zu verarbeiten – vor allem in seiner frühen Liebeslyrik. Es ist leicht möglich, den geographischen Hintergrund des Kapitels XVIII auszutauschen: Elbe/Brenta, Palast/Landhaus des Onkels Salomon in Ottensen, Park/Garten dieses Landhauses. So erklärt sich auch die Fortsetzung der „eigentlichen Geschichte" in dem II. Kapitel – venezianische Kulisse mit Hamburger Örtlichkeiten vermischt bzw. versetzt. Nach der Abweisung begibt sich der Held in ein Waffengeschäft und will Selbstmord begehen. Alle anderen Liebesbeziehungen in den Kapiteln I bis V und XVI bis XX lassen sich nun diesen Grundkonstellationen zuordnen. In diesem Zusammenhang sind verschiedene Ebenen zu erkennen:
– autobiographischer Zug Heine und Amalie
– die venezianische Fiktion
– die indische Fiktion
– die kleine Veronika und
– die Madame.

Alle diese Ebenen lösen sich in den beiden letzten Kapiteln (XIX und XX) auf. Die verschiedenen geliebten weiblichen Wesen des Erzählers sind alle identisch, da ihre Seelen nach dem Prinzip der Seelenwanderung in verschiedenen Gestalten erscheinen[178].

Die Funktion des Rahmenthemas läßt sich nun in mehrere Bereiche einteilen. Einmal ist es der rein private, autobiographische Bereich; durch die abgeschlossene in die Vergangenheit versetzte Geschichte distanziert sich der Erzähler und damit Heine selbst von einem Problem, das Dichtung und Leben der letzten fünf Jahre be-

---

[178] vgl. dasselbe Thema in „Nordsee III", G, 83 f.

stimmt haben. Heine hatte immer wieder das Amalien-Thema in Literatur umgesetzt und sich damit evtl. sogar freigeschrieben.

Gleichzeitig setzt er damit die petrarkistische Tradition fort; Heine hatte die Gedichte Petrarkas schon bei August Wilhelm Schlegel kennengelernt, außerdem war diese Tradition noch zu Beginn des 19. Jahrhunderts bekannt. Petrarka und seine Nachahmer hatten das Thema der unglücklichen Liebe zum Gegenstand. Der Liebhaber kommt nicht in den Besitz der von ihm angebeteten Laura – er reibt sich zwischen Hoffnung auf Erfüllung und Verzweiflung auf. Dabei ist das Grundmodell der Liebesstruktur dem Oxymoron ähnlich – der Liebhaber schwankt zwischen Süße und Bitterkeit. Diese Spannung zwischen Süße und Bitterkeit wird schon in den ersten Kapiteln zum Programm erhoben. Es ist zu berücksichtigen, daß es um den Versuch geht, „die Historie von Amor und Psyche in allerlei Gruppierungen" zu malen[179].

Die Fortsetzung der „eigentlichen Geschichte" in Kapitel I und II schildert die Verzweiflung des „Helden" der Tragödie, der zum Selbstmord entschlossen ist. Gleichzeitig wird aber vom Erzähler angekündigt, daß es nur eine Tragödie mit Held und Katastrophe ist – also gespielt: „Madame! das alte Stück ist eine Tragödie, obschon der Held darin weder ermordet wird noch sich selbst ermordet"[180].

Nur aus dieser gespielt verzweifelten Situation läßt sich das zentrale III. Kapitel erklären: „Das Leben ist der Güter höchstes, und das schlimmste Übel ist der Tod[181]." Mehrere Aspekte dieser neuen Einstellung – das Leben zu lieben – sind zu beachten: Einmal wird eine totale Diesseitigkeit zum Programm erhoben, da die Hoffnung auf ein Jenseits nicht existiert: „... ich brauche mir von keinem Priester ein zweites Leben versprechen zu lassen, da ich schon in diesem Leben genug erleben kann..."[182]. Dabei wird die Vergangenheit produktiv verarbeitet und für die Gegenwart benutzt.

Zusammenfassend kann festgestellt werden, daß die Kapitel I bis IV und das Kapitel XVIII rein autobiographischen Charakter haben (Ich – Venedig – Düsseldorf/Veronika – Ganges). Gleichzeitig weisen sie aber über den autobiographischen Bereich hinaus – in den

---

[179] H, I, 85.
[180] R, 5.
[181] R, 10.
[182] R, 11.

Liebesbeziehungen ist eine Entwicklung zu beobachten, die sich mit einer gewissen Distanz und Vernunft beschreiben läßt. Das zeigt sich nicht zuletzt darin, daß die verschiedenen Liebespartner an geographisch entfernten Orten zu finden sind. Mit dieser Distanzierung verbindet der Erzähler ein über die Autobiographie hinaus weisendes Thema.

Es fehlt bei der bisher erfolgten Charakterisierung der verschiedenen weiblichen Figuren die Zuordnung der vier Mädchen im V. Kapitel. Diese müssen mit ihren verschiedenen Eigenschaften – mittelalterlich, katholisierend usw. – als eine Allegorie der Romantik gelten. Mit dem Tod dieser Mädchen soll einmal gezeigt werden, daß die eigene romantische Entwicklung des Erzählers/Heines beendet ist[183] und daß er die Romantik als literarische Richtung als nicht mehr lebensfähig ansieht: ,,Ihre verschämten Lippen sprachen kein Wort, und auch ich konnte ihr nichts sagen"[184]. Mit ihrem Tod ist aber auch gleichzeitig die Freiheit gegeben – Freiheit in dem Sinn wie sie der Erzähler im dritten Kapitel beschreibt. Daher schließt auch an die Liebesthematik im VI. Kapitel der Napoleon-Komplex an.

c) Napoleon und die Französische Revolution

Der gesamte private Bereich ist nicht nur erklärbar durch tiefenpsychologische Muster – s. o. Verwandlung der Geliebten –, vielmehr werden durch objektive Abläufe in der Geschichte diesem Bereich sinngebende Erfahrungen vermittelt. Diese werden noch deutlicher, wenn man sich besonders auf das VI. bis VIII. und vor allem auf das X. Kapitel beschränkt. Hier wird vor allem der Dreischritt – nämlich Kurfürstenzeit, napoleonische Ära und Restauration unter dem preußischen Adler deutlich.

Im VI. Kapitel wird die Kurfürstenzeit aus der Sicht des ,,Knaben" dargestellt. Die Beschreibung der Statue des Kurfürsten und die Sage / Legende ihrer Herstellung führen in eine kindliche Welt des Schlaraffenlandes. ,,Apfeltörtchen" und der ,,wunderlich gebackene säbelbeinige Kerl", der diese verkauft, sollen eine heile und unpolitische kurfürstliche Vergangenheit signalisieren. Dabei ist zu beachten, daß Heine bei der Betrachtung dieser Statue immer hin-

---

[183] vgl. die zahlreichen Anspielungen zur Romantik in ,,Harzreise" und ,,Nordsee III".
[184] R, 15 f.

tergründig die Berliner Statue vom Großen Kurfürsten zum Vergleich heranzieht[185] – diese ist nämlich von Sklaven umgeben, für Heine ein Symbol des strengen Absolutismus preußischer Prägung. Gleichzeitig wird durch die ausgeprägt kontrastierende Darstellung der Kurfürsten/Franzosenzeit der Immobilismus dieser altväterlich beschränkten Welt deutlich herausgearbeitet. Verweise und Anklänge dieser kindlich-feudalistischen Zeit kann man auch noch in der Liebessphäre entdecken[186], daher die Verbindung Apfeltörtchen/Schürze/Stimme des Verkäufers mit dem erotischen Witz „... und die Schürzen sind es, welche...", der plötzlich als Ausschweifung deklariert und abgebrochen wird. Diese Welt der Zuckerbäcker mit ihren ruhigen und dummen Menschen, die alles mit sich geschehen lassen, wird „plötzlich" verändert. Dabei wird der politische Umsturz aus der Perspektive des Kindes – zu beachten ist die parataktische Kindersprache – als Traum (Märchen vom Weltuntergang) dargestellt. Hier sind Parallelen zum Sterntalermärchen in positiver Richtung und zu Jean Pauls „Rede des toten Christus vom Weltgebäude herab, daß kein Gott sei" (Siebenkäs) sowie Büchners Antimärchen von der alten Großmutter (Woyzeck) in negativer Richtung zu erkennen. Dabei wird die Schürzenmetapher variiert und zu einem strukturbildenden Moment: Die Schürze bedeckt in der harmlosen, glücklichen Zeit das Schöne (Apfeltörtchen/Mädchen) – jetzt wird sie zum negativen Requisit, das „ein häßlich hämisches Weib"[187] gebraucht, um den Mond darin aufzunehmen.

Bei den realen Figuren und Geschehnissen muß immer wieder auf deren besondere Funktion in diesem Grenzbereich des Fiktiven hingewiesen werden. Zwar existierten Aloisius und Gumpertz tatsächlich – sie stehen hier aber für das gemeine Volk; die Franzosen übernahmen tatsächlich das Großherzogtum Berg, doch dauerte der Übergang mehrere Jahre. Heines Ziel kann es nur sein, die beabsichtigten Sinnstrukturen so plastisch wie möglich hervortreten zu lassen, um so die ideologische Grundkonzeption in jeder Einzelheit durchzusetzen.

Die nun folgenden Kapitel konzentrieren sich auf die napoleonische Ära. Der „Kaiser" ist hier natürlich nicht als eine historische

---

[185] Ein Thema, das Heine schon in den „Briefen aus Berlin" behandelte, vgl. E, VII, 561.
[186] vgl. z. B. R, 14 f.
[187] R, 21.

Darstellung aufzufassen, vielmehr ist er eine vom Dichter geschaffene Gestalt innerhalb des Werkganzen. Wurde und wird Napoleon in Deutschland als der Eroberer und Unterdrücker angesehen, so hat Heine dieser undifferenzierten Betrachtungsweise eine umgekehrte entgegengesetzt. Napoleon ist für Heine der Vollender der Französischen Revolution – vgl. Thiers, Geschichte der Französischen Revolution –, der Aristokratie, Klerus und Absolutismus erfolgreich bekämpft und den Menschen Freiheit und Gleichheit bringt. Der Schlachtenkatalog am Ende des VII. Kapitels zeigt aber auch die deutliche Trennung der imperialistischen Phase von der Phase als General der Revolution: Ab Jena wird Napoleon nicht mehr erwähnt. Für Heine ist Napoleon zu dieser Zeit ,,der Mann der Idee, der ideengewordene Mensch"[188]. Seine Mission ist es, die Ideen der Französischen Revolution in der Welt zu verbreiten.

Heine hat zwischen der übermächtigen Gestalt und dem Knaben einen Vermittler eingeschaltet: Le Grand, den Propheten Napoleons. Diese Figur ist ein bewußtes Gegenbild zu dem langen hageren Königsleutnant, der im Siebenjährigen Krieg bei Goethes Eltern Quartier erhielt (vgl. Dichtung und Wahrheit, I, 3). Le Grands grundlegender Trommelunterricht steht im Gegensatz zu dem sinnentleerten und enzyklopädischen Wissen, das auf dem Lyzeum vermittelt wird. Bei Le Grand lernt er zwar quantitativ wenig, qualitativ um so mehr; es werden auf der Trommel ,,nur die Hauptausdrücke" erklärt. Hier werden die Fundamente für die geistig-politische Existenz des Ich-Erzählers gelegt, so daß er sich während der Restauration als der Verwalter dieser Ideen fühlt. Der Erzähler erhält diesen Unterricht in der freien Natur – eine Anspielung auf Rousseau. Auch dieses Motiv wird später wieder aufgenommen, wenn der Tambour im Sterben liegt, und wenn der Erzähler der angeredeten Freundin ,,das trübe Märchen" seines Lebens darlegt.

Schon am Ende des VII. Kapitels kündigt sich die Napoleon-Begegnung an, wenn der Sprachduktus hymnische Töne erhält. Diese werden aber im VIII. Kapitel vor allem durch die zahlreichen Diminutive wieder eingegrenzt. Hier wird ein stehendes Bild gezeichnet, wobei der Kaiser in eine griechische Statue umfunktioniert wird. Berücksichtigt man die o. a. Perspektive, so ist es selbstverständlich, daß Heine sein Schicksal als das des ,,weltlichen Heilands" deutet,

---

[188] H, I, 310.

eine religiöse Verbrämung, die im Text konsequent beibehalten wird. Deutlich sind die Parallelen zum Einzug Jesu in Jerusalem, wobei sich auch schon das Ende Napoleons ankündigt. Die Hegelsche Redewendung über Napoleon am Tag vor der Schlacht bei Jena: „Ich habe die Weltseele reiten sehen[189]". hat ihre anschauliche Darstellung gefunden – der Kaiser wird gleichsam hypostasiert und zu einer Kunstfigur stilisiert. Napoleon war tatsächlich im *November* 1811 durch die heutige Königsallee geritten. Ein weiterer Beleg dafür, daß Literatur eine eigene Wirklichkeit begründet und die dargestellte Realität nur als Symbol zu erfassen ist; denn im VIII. Kapitel steht die Natur in voller Blüte und hat einen paradiesischen Charakter. Der „goldene Stern" verkündet die Ankunft des neuen Erlösers – auch hier ist wieder auf eine Variation und damit eine enge Verknüpfung der verschiedenen Textteile hinzuweisen: Im XVIII. Kapitel wird der Erzähler der „Ritter vom gefallenen Stern". Auch im IX. Kapitel wird an der Figur des „weltlichen Heilands" festgehalten, wenn Napoleons Gefangenschaft und Tod auf St. Helena in Parallele zur Passionsgeschichte gesetzt wird.

Im X. Kapitel werden wieder die Motive Liebe, Freiheit und Wahrheit verknüpft; hier übernimmt der Erzähler die Aufgabe Le Grands und sein politisches Vermächtnis – er wird zum Trommler. Berücksichtigt man gleichzeitig die Ausführungen in den folgenden Kapiteln, dann wird die zentrale Bedeutung der Sterbeszene noch deutlicher. Le Grand ist nicht nur der politische Lehrmeister, er ist vielmehr auch das künstlerische Vorbild. Der Tambourmajor kann als das zeitgemäße Pendant zum Barden der Vorzeit aufgefaßt werden – er ist somit eine Künstlerfigur (Übergang zu den folgenden Kapiteln). Erzähler wie Tambour sind Künstler, die gleiche Ideen in verschiedenen historischen Situationen vertreten. Die Napoleonische Ära verlangt ein künstlerisches Soldatentum, die Restaurationszeit verlangt ein militantes Künstlertum (vgl. IV. und XV. Kapitel).

Der Schriftsteller hat unter den Bedingungen der Restauration die Aufgabe, mit dem Wort die Ideen der Französischen Revolution weiter voran zu treiben – er muß die Wahrheit verkünden. Die neue Erzählperspektive wird ausdrücklich erwähnt: Die „Knaben"zeit ist unwiederbringlich vorüber. Selbst „kindische" Spiele mit dem Herbstlaub (s. o. Napoleon und die Natur) können die hoffnungs-

---

[189] Fischer, Kuno, Hegels Leben, Werke und Lehre 1. Teil, Darmstadt 1963, S. 28.

volle Vergangenheit nicht mehr zurückholen. Gleichzeitig weist die Erinnerung an vergangene romantische Liebe (Blumenmetapher) auf die Abhängigkeit des Privaten von öffentlichen Veränderungen sinnfällig hin. Zu beachten sind die Transformationen historischer Abläufe in sprachliche Raster: Dem Einzug Napoleons ist die Baron-Stelle zuzuordnen, die Zuckerbäckerwelt der Kurfürstenzeit entspricht der preußischen Ära – Zöpfe. Es wird eben nur restauriert und ein neuer „Anstrich" gegeben. So umschließen preußische und kurfürstliche Zeit ein fortschrittliches Intermezzo – Heine ist der Sachwalter von Ideen der Französischen Revolution.

d) Schriftsteller und Gesellschaft

In den Kapiteln XI bis XV beschreibt Heine die Situation des Schriftstellers unter mehreren Aspekten. Die unbestimmte Stellung eines Autors der Restaurationszeit macht das Anfangskapitel zu diesem Thema deutlich. Die Stellung des „freien" Schriftstellers ist sehr eng mit den gegebenen Umständen verknüpft – schon der Eingangssatz „Du sublime au ridicule il n'y a qu'un pas Madame!"[190] zeigt das. Dieser bezieht sich nicht nur auf die vorher beschriebene Welt der Politik, sondern vielmehr auch auf die Welt des Schriftstellers, die Welt der Ästhetik. Beide Bereiche hängen eng miteinander zusammen und bedingen einander. Da nun die Kunst so eng mit der „tausendaktigen Welttragödie"[191] zusammenhängt, muß – das ist die These Heines – diese ein Abbild der großen Welt sein.

Heine geht nun auf einige Gegenstände der Weltgeschichte ein, die eine Verbindung von Pathos und Komik zeigen: z. B. sind für ihn die in Frankreich wieder etablierten Bourbonen ein Beispiel dafür, daß nach dem Erhabenen das Lächerliche folgt:

„Könige, die ihre Rolle vergessen, Kulissen, die hängen geblieben..."[192]. Das gegenwärtige Zeitalter zeichnet sich also durch eine Lächerlichkeit aus, die nicht zu überbieten ist. Es besteht eine ungeheure Kluft zwischen den fortschrittlichen, erhabenen Ideen und der Wirklichkeit. Ganz abgesehen davon langweilt sich Gott[193] bei dem angeblich gottgewollten – Anspielung auf die Heilige Allianz – Spiel der Komödianten der Restauration.

[190] R, 39.
[191] R, 39.
[192] R, 40.
[193] R, 40.

Die Konsequenz für den Schriftsteller ist daher die Verbindung des Pathetischen mit dem Komischen, wenn er ein Abbild dieser Welt geben will. Nur so gelingt es, die Totalität dieser Welt zu beschreiben und vor allem – auf den Leser bezogen – zu erkennen. Damit bewegt sich Heine außerhalb der eingefahrenen Bahnen der Ästhetik. Diese Grundüberlegung – „zerrissene Welt" erfordert eine antithetische künstlerische Darstellung – erklärt rückblickend auch viele Fragen der Heineschen Kompositionsweise sowohl in der „Harzreise" als auch in der „Nordsee III", gleiches gilt für die „Bäder" und die „Stadt Lucca". Nur eine Darstellung der Kontraste kann aus der Sicht Heines eine gesellschaftliche Veränderung erreichen, kann eine erstarrte, festgefahrene Welt aufbrechen und erneuern.

Nachdem dieser oberste Grundsatz der Ästhetik festgelegt ist, durchleuchtet Heine die einzelnen Determinanten und Schwierigkeiten des Schreibens. Mit dem epigrammartigen Satz des XII. Kapitels: „Die deutschen Zensoren... Dummköpfe." weist Heine einerseits auf eine Grundbedingung des „freien" Schriftstellers der Restaurationszeit – siehe Anhang S. 83 ff. – hin, nämlich daß eine Zensur stattfindet, andererseits macht er deutlich, daß die Zensoren sich als Bürger zu Handlangern der Aristokratie machen.

Das nun folgende Kapitel XIII greift wieder ein Thema auf, das schon im Zusammenhang mit der Wissenschaftskritik in der „Harzreise" angedeutet wurde: Die Zitierwut der gelehrten Schriftsteller. Damit wird auch gleichzeitig die in der „Harzreise" angeprangerte Polyhistorie deutlich. Heine setzt die Zitierwut der gelehrten Schriftsteller bewußt gegen seine Art der Darstellung, die weder eine systematische Gliederung enthält, noch die Quelle oder den Beleg benötigt[194].

Gegen Ende des Kapitels XIII und am Beginn des folgenden Kapitels erörtert Heine den ersten Teil seines Titels: „Ideen". Auf den ersten Blick sieht das so aus: Man findet eine Gliederung zu dem Begriff der Idee vor, der sich eine nachgezogene Materialsammlung über die Exkurse verschiedener Personen zu diesem Begriff anschließt: der Schneider, der Pastor, Kutscher Pattensen, Hofrat Heeren, das Kamel. Dann leitet Heine zu seinem Buch und seiner Eingebung über – seine Gedanken kommen von Gott. Er ist daher

---

[194] vgl. oben die Überlegungen zu Form und Fragment, S. 47 ff.

ein „echt christlicher Schriftsteller", aber im Gegensatz zu den Traktätchenverfassern ein sündhafter, ketzerischer. Was will er damit sagen? Und damit kommt der „zweite Blick": Hierzu müssen einige Briefäußerungen und biographische Elemente herangezogen werden.

In Heines privatem Wortgebrauch taucht die „Idee" immer wieder im Zusammenhang mit Aufklärendem, Neuem, in die Zukunft Weisendem auf. Schon am 29. XI. 1823 schreibt er z. B. an Ludwig Robert: „Vielleicht erleben Sie es noch, meine Bekenntnisse zu lesen und zu sehen, wie ich meine Zeit und Zeitgenossen betrachtet, und wie mein ganzes trübes, drangvolles Leben in das Uneigennützigste, in die Idee übergeht [195]." Heine versteht dabei die Idee immer als ein Faktum, das Wirklichkeit werden soll, wobei ein Endresultat erscheinen wird, das im Hegelschen Sinn als fortschreitende Geschichte zu verstehen ist. Wenn er sich nun in diesem Kapitel von den Traktätchenverfassern absetzt, die den Menschen auf das Jenseits vertrösten, so ist er als ein Schriftsteller des Diesseits zu sehen. Er ist es, der sich auf die Vernunft verläßt und für die Idee der Freiheit und Gleichheit auf Erden kämpft. So erklärt sich auch der Titel „Ideen. Das Buch Le Grand": Kapitel VI bis X befassen sich mit dem „Mann der Idee, der ideegewordene Mensch" und dessen Vertreter für den Jugendlichen Harry Heine, Kapitel XI bis XV sind ein Ausschnitt aus der Bibel – vgl. z. B. den Titel „Das Buch Mose" – des Verkünders Heine: Er berichtet von der Religion der Freiheit. Damit wird auch deutlich, warum die literarische Richtung der Romantik für ihn nicht mehr relevant ist – ihre Vertreter sind aus der Sicht Heines Schriftsteller, die dem Menschen ein besseres Jenseits versprechen. Außerdem muß an dieser Stelle nochmals auf das Kapitel III verwiesen werden, das eindeutig mit dieser Lebensauffassung korrespondiert.

Diese Position des Schriftstellers führt zur materiellen Problematik des „freien Schriftstellers" im 19. Jahrhundert, der sich nicht mehr auf ein Mäzenatentum verlassen kann. Gerade der radikale Literat hat es unter diesen Umständen noch schwerer als der angepaßte; Heine verwendet in diesem Zusammenhang das Bild vom Hund: Nur der brave und abgerichtete bekommt sein Futter, der freiheitsliebende „wird in die Fremde verstoßen" [196]. So steht der Schriftstel-

---

[195] H, I, 121.
[196] R, 48.

ler unter einem Schreibzwang eines Abhängigen, der schreiben muß, um seinen Lebensunterhalt zu verdienen. Mittel zum Zweck sind in diesem Fall die Narren der Hamburger Philisterwelt, die – im Gegensatz zu den Gestalten der „Harzreise" – schon bourgeoise Züge erhalten haben. Sie haben Geld, handeln damit (Ware) und vermehren durch diesen Handel ihr Geld. Der Schriftsteller hat kein Geld, muß erst eine Ware herstellen, erhält dafür Geld und kauft sich etwas – also der genau umgekehrte Vorgang. So erklärt er sich auch, daß beide – der Schriftsteller und die etablierten Bürger – die jeweilige Gegenseite für einen Narren halten. Heine erhält sich dabei die Rolle des freien Schriftstellers.

Warum muß der Schriftsteller diese Rolle des Narren aus der Sicht des Bürgers einnehmen? Weil er sich für die Vernunft entschieden hat: „Aber ich hab nun mal diese unglückliche Passion für die Vernunft"[197]. Er ist gegen diese bougeoisen Narren, die sich egoistisch nur nach ihren Profitinteressen richten, aber die Ideale der Citoyen von 1789 vergessen haben. Hier wird wieder ein Stück Dichtungstheorie deutlich: Heine ist gegen weltabgewandte, rückwärtsgerichtete Stoffe und Themen – nur die Schilderung der Gegenwart in allen Bereichen bringt den ersehnten Fortschritt.

Abschließend könnte man die These aufstellen, daß Heines wahre Liebe – die Vernunft – ihre Verkörperung in der angeredeten Person „Madame" findet. Denn diese Personifikation ist, abgesehen von dem Erzähler, die einzige Figur, die innerhalb des Erzählrahmens erhalten bleibt.

7. „Italien. Die Bäder von Lucca" und „Italien. Die Stadt Lucca"

a) *Einführung und Entstehung*

Die Italienstoffe hat Heine in drei verschiedenen Anordnungen plaziert. „Die Reise von München nach Genua" und die beiden Texte zu Lucca. In der „Reise von München nach Genua", die einen Abschnitt der tatsächlich unternommenen Reise als Rahmenhandlung benutzt, beschreibt und analysiert Heine vor allem die Emanzipation in Italien. Während es Heine in diesem Text um den Fortschritt der Menschen geht, werden in den beiden hier zu behandelnden

---

[197] R, 57.

Texten „Die Bäder von Lucca" und „Die Stadt Lucca" die Bereiche untersucht, die dem Fortschritt der Menschheit sich entgegenstellen. Es ist daher von der didaktischen Konzeption angemessen, die „Reise von München nach Genua" auszuklammern, weil die Themen der vorher behandelten Texte nur im geographischen Sinn ausgeweitet, nicht aber vertieft und entwickelt werden.

Heine hatte nach den vergeblichen Versuchen, in Hamburg bzw. Preußen eine staatliche Stellung als Jurist zu erlangen, das Angebot des Baron Cotta angenommen, zusammen mit dem Liberalen Lindner die „Neuen allgemeinen politischen Annalen" bei einem Jahresgehalt von 2000 Gulden zu redigieren – zunächst wurde ein Vertrag über ein halbes Jahr abgeschlossen. Ende 1827 reist Heine nach München, am 1. I. 1828 tritt er die Stelle an; schon bald äußert er seinen Unmut über Klima und Umgebung: „Ich bin noch immer am hiesigen Clima leidend. Stecke bis am Hals in Politik... ich gehe nach Italien, sammle mich, kehre gerüstet nach Norddeutschland zurück und bilde eine Schule[198]."

In den ersten Monaten des Jahres 1828 versucht er, durch Fürsprache Cottas und Schenks, einem späteren bayrischen Minister, eine Professur für Geschichte in München zu erhalten – Heine gibt Cotta mehrere Bücher mit, die dieser bei einer Audienz dem König überreichen soll. Am 28. VII. richtet Schenk ein offizielles Gesuch wegen der Heineschen Professur an den König. Kurz darauf reist Heine über Innsbruck, Bozen und Verona nach Italien. Dabei besichtigt er verschiedene historische Stätten: das Amphitheater in Verona, den Mailänder Dom, das Schlachtfeld von Marengo, die Uffizien in Florenz. Dazwischen liegt ein längerer Aufenthalt im September im Badeort Lucca. Im September wird er ungeduldig, was seine Berufung als Professor in München betrifft. Im November erfährt er, daß sein Plan gescheitert ist; gleichzeitig erhält er die Nachricht, daß sich der Gesundheitszustand seines Vaters verschlechtert hat, so daß er wieder nach Deutschland reist – erst nach dem Tod seines Vaters trifft er Anfang Januar 1829 in Hamburg ein.

Die mehr sich auf den Reiseverlauf konzentrierende „Reise von München nach Genua" schrieb Heine schon in Italien und veröffentlichte Teile im „Morgenblatt für gebildete Stände". „Bäder" und „Stadt Lucca" entstanden erst in Deutschland und erschienen

---

[198] H, I, 349.

im 3. bzw. 4. Teil der „Reisebilder". Zum Verständnis der beiden Texte sind noch einige Hinweise – bezogen auf den biographischen Hintergrund – notwendig. Einige der Themen beziehen sich direkt oder indirekt auf Erlebnisse während des halben Jahres in München. Schon sehr früh beklagt er sich gegenüber Freunden über die Verquickung von Aristokratismus, Klerikalismus und konservativen Literaten und Wissenschaftlern in München: „Ich bin jetzt umlagert von Feinden und intriguirenden Pfaffen"[199].

Da ist einmal der Kreis um Ignaz Döllinger, der sich gegen Heines Liberalismus und Emanzipationsbestrebungen wandte[200]. Weitere Feinde waren an der Universität zu finden, vor allem Görres, der sich jetzt zur konservativen katholischen Partei rechnete, und der Philologe Maßmann. Außerdem wurde ihm immer deutlicher, daß liberale Literatur in München nicht gelitten wurde. Heine sah vor allem in August von Platen die Personifikation aller Mißstände und Ungerechtigkeiten. Der Unmut gegen Platen hatte schon 1827 mit den Xenien Immermanns im Anhang zu „Nordsee III" begonnen[201]. Im „Romantischen Oedipus" weist Platen auf Heines jüdische Abstammung hin, was Heine sehr erregte; dann erfuhr er in München, daß Platen zum Katholizismus tendiere, ein königliches Stipendium erhielt und Mitglied der Akademie geworden sei. Offensichtliche Querverbindungen gab es für Heine, wenn der oben genannte Döllinger Platens Gedichte lobte und die „Neuen allgemeinen politischen Annalen" verdammte[202]. An diesem Mann erkannte er, wie und mit welchen Mitteln Literatur, die inhaltsleer und unbedeutend, gefördert wurde. Zudem gehört Platen der aristokratischen und damit katholischen Partei an, deren Literatur hatte aus Heines Sicht nur den Zweck, rein affirmativ verkrustete Zustände zu fixieren. Am besten wird seine Stimmung und Meinung zur Münchener Atmosphäre durch folgende Zitate deutlich:

„Man merkt nicht, daß ich in ihm [Platen] nur den Repräsentanten seiner Parthey gezüchtigt, den frechen Freudenjungen der Aristrokraten und Pfaffen habe ich nicht bloß auf ästhetischem Boden angreifen wollen, es war Krieg des Menschen gegen Menschen, und eben der Vorwurf, den man mir jetzt im Publikum macht, daß ich, der Niedriggeborene, den

[199] H, I, 349.
[200] vgl. auch dessen antisemitische Rezension der Reisebilder siehe Anhang S. 88 f.
[201] vgl. G, 100.
[202] Eos 132, 18. VIII. 1828.

hochgeborenen Stand etwas schonen sollte, bringt mich zum Lachen..."[203].

Auch in dem folgenden Text wird dieser Charakter der Personifikation deutlich:

> „Er [Platen] empfiehlt sich nur dadurch einem Bund von Pfäffchen, Baro-
> nen und Pedrasten, der verbreiteter und mächtiger ist, als man glaubt. La-
> chen Sie nicht, ich spreche so ernst wie eine Bildsäule: die Pedrasten sind
> dienende Brüder, Mittelglieder in dem großen Bunde der Ultramontaner
> und Aristokraten[204]."

„Bad" und „Stadt Lucca" sind Ich-Erzählungen; Mathilde und
Franscheska tauchen in beiden Texten auf, außerdem gibt es noch
einige kleine Querverbindungen. Ursprünglich sollten offensicht-
lich „Bad" und „Stadt" eine Einheit bilden – an Immermann
schreibt er: „Anbey, lieber Immermann, mein Buch, dessen zweyte
Hälfte etwas werth ist, da ich darin zum erstenmale versucht habe,
einen Charakter leben und sprechen zu lassen; es ist das Stück ‚Die
Bäder von Lucca' nur Fragment eines größeren Reiseromans, den
ich ihnen vielleicht nächsten Herbst vollendet schicke[205]." „Die Bäder von Lucca" haben als Sujet die internationale Badegesellschaft,
die „Stadt Lucca" konzentriert sich auf die kirchlichen Fragen – damit korrespondiert auch die Reduktion des Personenkreises in dem
letzten Werk.

b) Adel und Geldadel

„Die Bäder von Lucca" waren vor allem wegen des zweiten Teils,
der Polemik gegen den Schriftsteller von Bayerns Gnaden, Graf Platen, ein sehr umstrittener Text. Schon seit dem Erscheinen des dritten Reisebilderbandes überwiegt die Kritik, wobei man die grundsätzliche Ablehnung der Darstellung einer Tabuzone – Homoerotik
– immer noch hinter der Kritik betr. mangelnder Einheit verbergen
konnte.

Es ist aber bei allen anderen Texten deutlich geworden, daß jegli-
cher Versuch der Darstellung einer einheitlichen Form wenig ertrag-
reich ist; viel sinnvoller ist der Zusammenhang in der Thematik zu
suchen – so auch hier: Ein durchgehender Handlungsträger ist das

---

[203] H, I, 412.
[204] H, I, 407.
[205] H, I, 406.

Thema „Liebe" – der „Doktor Heine" trifft in Lucca seine ehemalige Geliebte – Lady Mathilde; Julie Maxfield wird von einem geadelten Hamburger Bankier, Christian Gumpel, geliebt, dieser wird aber erst am Tag vor ihrer Abreise erhört; die Liebe geht nicht in Erfüllung, da der Liebhaber Durchfall hat, sein Diener vertritt ihn. Der Erzähler selbst liebt die Tänzern Signora Franscheska, die zusammen mit der alternden Signora Lätitia eine Sommerwohnung unterhält. Diese wiederum hat zwei ewige Verehrer.

Während Heine in „Ideen. Das Buch Le Grand" diese Thematik noch in der Form der Tragikkomödie behandelt, ist hier die Komödie anzutreffen. Alle Liebesbeziehungen zeigen groteske Züge – am deutlichsten die zwischen Christian Gumpel und Lady Maxfield. Grotesk deshalb, weil eine Parodie in die Sinnlosigkeit geführt wird: In der Umkehrung zu Shakespeares „Romeo und Julia" trinkt nicht die Geliebte den Todesbecher, sondern der Liebhaber ein Abführmittel; während Julia stirbt, endet Gumpelino auf dem „Stuhl der Nacht"[206]. Man könnte, wollte man die Variationen des Themas Liebe unter grotesken Aspekten weiter verfolgen, auch die Platenpolemik als eine Groteske in Form der Homosexualität sehen. Wahrscheinlich macht man es sich aber zu einfach, wenn nur der groteske Aspekt betont wird, vor allem wenn man berücksichtigt, mit welchem Ernst Heine hier seine Feinde verfolgt hat.

Andere Komplexe, wie z. B. Zerrissenheit[207], der Dichter als Narr[208], Wissenschaftskritik[209], Natur[210], Hamburg[211], werden aus den vorherigen Reisebilderbänden ebenfalls aufgegriffen. Diese dienen aber zur Unterbrechung des Hauptthemas, nämlich der Beschreibung des Marchese Gumpelino, seines Dieners Hirsch Hyazinth und des Grafen Platen. Die Unterbrechung dieser Beschreibung begründet Heine selbst[212]: „Auf der Tapete, die ich dir zeige, lieber Leser, siehst du wieder die wohlbekannten Gesichter Gumpelinos und seines Hirsch-Hyazinthos, und wenn auch jener mit minder bestimmten Zügen dargestellt ist, so hoffe ich doch, du wirst

---

[206] G, 143.
[207] G, 114.
[208] G, 104.
[209] G, 120.
[210] G, 114.
[211] G, 136 u. a.
[212] G, 145.

scharfsinnig genug sein, einen Negationscharakter ohne allzu positive Bezeichnungen zu begreifen." Unterbrechungen wie bewußtes Zeigen von Inhalten und Aussagen sollen den Leser zur Reflexion anhalten. Indem ihm so ein Geschehen indirekt mitgeteilt wird, bewahrt er die kritische Distanz.

Heine vertieft zuerst das Thema, das schon in „Ideen. Das Buch Le Grand" begonnen wurde: Gumpelino wird als der Typ einer neu aufkommenden Klasse, der „aristocratie bourgeoise"[213] in allen Einzelheiten karikiert. Der Marchese ist ein hochgekommener jüdischer Bankier, der nobilitiert wurde[214]: „... der Markese ist mächtig durch Geld und Verbindungen. Dabei ist er der natürliche Alliierte meiner Feinde, er unterstützt sie mit Subsidien, er ist Aristokrat, Ultra-Papist...". Neben dem Typus des Geldadligen wird im zweiten Teil ein aus der Sicht Heines echter Adliger vorgeführt. Beide – Adel und Geldadel – haben viele Gemeinsamkeiten. Einmal ist es ihr gutes Verhältnis zur Kirche; außerdem sind sie für die bestehenden Zustände der Restauration. Auch ihre aufgesetzten Formen im Bereich der Bildung gleichen sich: Griechentum, katholische Gotik. Das sind aus der Sicht Heines Kriterien dafür, wie sich eine aufkommende Schicht an alte Formen anzupassen sucht. Besonders zugespitzt wird dieses Thema dadurch, daß Heine ausgerechnet einen ehemaligen gesellschaftlichen Außenseiter, einen Juden, die ursprünglichen Ziele der Emanzipation der ganzen Menschheit verraten läßt.

Bei Gumpelino wie bei Platen muß man von Abweichungen in der Kunst und in der Liebe sprechen. Da für Heine seine private Situation einerseits und seine politische Haltung andererseits einander bedingen, sieht er in beiden eine große Gefahr für die Emanzipation. Diese verkehrte Welt des Aufsteigers findet ihren Niederschlag darin, daß er Gumpelino als einen umgekehrten Don Quijote auftreten läßt. Im privaten Bereich hat sich Heine noch weit schärfer gegen diesen Typus geäußert: „Ich weiß sehr gut, daß die Revoluzion alle sozialen Interessen umfaßt, und Adel und Kirche nicht ihre einzigen Feinde sind. Aber ich habe, zur Faßlichkeit, die letzteren als die einzig verbündeten Feinde dargestellt, damit sich der Ankampf conso-

---

[213] H, I, 465.
[214] G, 145 f.

lidire. Ich selbst hasse die aristocratie bourgeoise noch weit mehr[215]."

c) Religionen

Das zentrale Thema in der „Stadt Lucca" ist Heines Auseinandersetzung mit den positiven Religionen. Der biographische Hintergrund ist in Heines Querelen mit den klerikalen Kreisen in München zu sehen, die eine Anstellung Heines als Professor an der Universität verhinderten bzw. aus Heines Sicht zu verhindern wußten.

Heine geht die einzelnen Religionen nach Schwerpunkten durch, wobei er zuerst auf die jüdische Religion zu sprechen kommt. Schon in den „Bädern von Lucca" wird diese negativ dargestellt[216]. Ursprünglich bekannte sich Heine zwar zu seiner Herkunft, nicht aber zu seiner Religion. Aus dieser Haltung heraus ist es auch erklärlich, daß er in der Berliner Zeit dem „Verein für die Wissenschaft des Judentums" angehörte, weil er hier einen Weg sah, die Gleichberechtigung der Juden durchzusetzen.

Die Episode von Moses Lümpchen macht das auf eine ironische Weise deutlich[217]: Der orthodoxe Jude Moses Lümpchen fühlt sich in seiner Armseligkeit wohl, weil ihm durch diese Entsagungsreligion deutlich wird, wie gut er es einmal haben wird. „Der gemeine Mann muß eine Dummheit haben, worin er sich glücklich fühlt, und er fühlt sich glücklich in seiner Dummheit"[218]. Daher ist auch die Stellungnahme von Rothschild zweideutig, wenn es hier heißt: „Wär' ich nicht Rothschild, so möchte ich so ein Lümpchen sein"[219]. In der „Stadt Lucca" setzt Heine diese Kritik fort: „Da kam aber ein Volk aus Ägypten... brachte es auch eine sogenannte positive Religion mit, eine sogenannte Kirche, ein Gerüste von Dogmen, an die man glauben, und heiliger Zeremonien, die man feiern mußte, ein Vorbild der späteren Staatsreligionen. Nun entstand die Menschenmäkelei, das Proselytenmachen, der Glaubenszwang und all jene heiligen Greuel, die dem Menschengeschlecht so viel Blut und Thränen gekostet[220]."

---

215 H, I, 420f.
216 G, 133 ff.
217 G, 136.
218 G, 136 vgl. auch G, 73.
219 G, 137.
220 G, 208.

Die jüdische Religion ist aus Heines Sicht der Vorläufer der Staatsreligion. Anschließend äußert er sich zum Protestantismus – hier unterscheidet er zwischen dem Protestantismus als Institution und den einzelnen Protestanten. In den „Bädern von Lucca" spricht Heine von den Protestanten „Luther, Lessing und Voß", die seine Glaubensgenossen sind[221]. Es geht ihm bei diesen Personen nicht um den Glauben, sondern um deren progressive Taten: Luther kämpfte gegen die alles vereinnahmende katholische Kirche, Lessing für seine aufklärerischen Ideen und Voß gegen die Aristokratie. Heine versteht hier also Protestantismus als Kampf gegen ein verjährtes Unrecht. Ein Ansatzpunkt bei der Kritik dieser Staatskirche sind für ihn die Bekehrungsgesellschaften. „Ich habe mich aber immer gewundert, Doktor, daß manche reiche Leute dieser Gattung, die wir als Präsidenten, Vizepräsidenten oder Sekretäre von Bekehrungsgesellschaften eifrigst bemüht sehen, etwa einen alten verschimmelten Bettlejuden himmelfähig zu machen und seine einstige Genossenschaft im Himmelreich zu erwerben, dennoch nie dran denken, ihn schon jetzt auf Erden an ihren Genüssen teilnehmen zu lassen, und ihn z. B. nie des Sommers auf ihre Landhäuser einladen, wo es gewiß Leckerbissen gibt, die dem armen Schelm ebenso gut schmecken würden, als genösse er sie im Himmel selbst[222]."

Schon hier wird die Verlogenheit und doppelbödige Moral deutlich, die Heine dem Protestantismus anlastet. Er geht aber über diese spezifische Eigenschaft hinaus und setzt Preußen mit dem Protestantismus gleich. Aus seiner Sicht dient hier die Religion nur zur Aufrechterhaltung von Macht und Herrschaft. Der Protestantismus ist somit formaljuristisch zu einer Staatsreligion geworden, die dazu dient, die Interessen der Menschen zugunsten des Staates zu unterdrücken. Als Religion ist sie indes sinnlos geworden, da das Christentum nur noch Alibifunktion hat: „Es hat eine eigne Bewandtnis mit ihrem Christentum. Dieses fehlt ihnen im Grunde ganz und gar, und sie sind auch viel zu vernünftig, um es ernstlich auszuüben"[223].

Der Katholizismus wird am schärfsten verurteilt, da seine Mittel diese Glaubensrichtung zu einer „blutrünstigen Delinquentenreli-

---

[221] G, 167.
[222] G, 197.
[223] G, 205.

gion"[224] werden lassen. Heine verurteilt die Kirchen vor allem als Einrichtung, die dazu dient, das alte System zu erhalten. Er hofft, daß alle negativen Erscheinungen durch eine mögliche Gleichberechtigung der Religionen und ohne die Verbindung zum Staat verschwinden. Wenn aber Heine nach seiner Religion gefragt wird, dann antwortet er: ,,...ich habe sie alle..."[225]. Das kann nur im Sinn einer Diesseitsreligion verstanden werden. Allen Menschen soll Gutes widerfahren durch die Prinzipien der Französischen Revolution[226]: ,,...die Freiheit ist eine neue Religion, die Religion unserer Zeit. Wenn Christus auch nicht der Gott dieser Religion ist, so ist er doch ein hoher Priester derselben... Die Franzosen sind aber das auserlesene Volk der neuen Religion, in ihrer Sprache sind die ersten Evangelien und Dogmen verzeichnet, Paris ist das neue Jerusalem, und der Rhein ist der Jordan, der das geweihte Land der Freiheit trennt von dem Land der Philister."

d) Emanzipation und Revolution

Nachdem Heine die verschiedenen Themen in ,,Bäder" und ,,Stadt Lucca" vertieft und den neuen Zeitumständen angepaßt hat, Faktoren, die sich einer Emanzipation der Menschheit auf der Grundlage der Gedanken der Französischen Revolution entgegenstellen, kommt er abschließend zu den Möglichkeiten der Verwirklichung. Wenn er von der ,,Emanzipation der Könige"[227] spricht, so ist deutlich zu erkennen, daß die Julirevolution in Frankreich mit dem Ergebnis des Bürgerkönigtums – an dieser Textstelle – als Vorbild für deutsche Verhältnisse angesehen wird. Auch das Bild der ,,flammenden Riesin"[228] enthält einen Aufruf zur Revolution. Berücksichtigt man außerdem die ,,Spätere Nachschrift"[229], die in der Sprachebene eines Hymnus gehalten ist und mit dem Aufruf ,,Aux armes, citoyens!"[230] endet, so muß man zu dem Schluß kommen, daß Heine sich von einem Emanzipator zu einem Revolutionär entwickelt hat. Die ,,flammende Riesin" ist nicht mehr aufzuhalten, der

---

[224] G, 188.
[225] G, 203.
[226] E, III, 501.
[227] G, 212.
[228] G, 212.
[229] G, 219ff.
[230] G, 221.

Bürger greift zu den Waffen, um ein demokratisches Staatswesen zu errichten.

Gegen diesen revolutionären Charakter sprechen aber das sechzehnte und siebzehnte Kapitel. Der Dichter sieht sich wieder in der Rolle des Narren, er ist der Sancho Pansa, der vergeblich gegen Immobilismus, Selbstsucht und Kleinbürgersinn kämpft. Die Menschen geben sich zufrieden und lassen sich von der Obrigkeit einlullen. Auch privat äußert er sich ähnlich: „Wenn mein Buch dazu beyträgt, in Deutschland, wo man stockreligiös ist, die Gefühle in Religionsmaterien zu emancipiren, so will ich mich freuen, und das Leid, das mir durch das Geschrey der Frommen bevorsteht, gern ertragen. Ach! trage ich doch noch schlimmere Dinge!"[231].

Auch wenn es zahlreiche gegensätzliche Standpunkte zu der Position Heines in der letzten Phase seines Deutschlandaufenthaltes gab, so wird zumindest eines deutlich: Er betrachtete sich als „...ein braver Soldat im Befreiungskrieg der Menschheit..."[232], der an den Fortschritt der Geschichte glaubte.

8. Unterrichtsmodelle und Textsequenzen

Die „Reisebilder" können in der Schule unter verschiedenen Gesichtspunkten bearbeitet werden. Dabei sollten bestimmte literarische und politische Akzente gesetzt werden, die sich jeweils nach Altersstufe, Interessenlage und Gruppenzusammensetzung ausrichten. Eine erste Möglichkeit wäre, „Harzreise" und „Ideen. Das Buch Le Grand" in der 9. bzw. 10. Klasse zu behandeln. Voraussetzung ist, daß im Geschichtsunterricht die Sequenzen Französische Revolution, Napoleon, Befreiungskriege, Restauration (Heilige Allianz, Deutscher Bund, Verfassungsfrage, Karlsbader Beschlüsse) behandelt wurden. Nur so ist es möglich, über eine immanente Interpretation hinaus zu gelangen. Dabei sollte man sich nicht von dem Einwand, Schüler dieser Altersstufe seien geschichtlich nicht interessiert, abschrecken lassen. Gerade bei einer Betonung des Fremdartigen und der Einsicht in die geschichtlichen Bezüge werden die Schüler motiviert.

---

[231] H, I, 421.
[232] E, III, 281.

Folgende Unterrichtsskizze für eine Behandlung der „Harzreise"
ist durchführbar:
1. Einführung zum jungen Heine[233],
2. Prolog und „Berg-Idylle",
3. Göttingenpassage G, 13 ff.,
4. Erster und letzter Traum G, 18 ff. und G, 59,
5. Systematische Untersuchung von Witz und Ironie, einschließlich
   einiger stilistischer Mittel,
6. Querschnitte zu den Themen Wissenschaftskritik, Natur, politische Verhältnisse.

Mit der Gliederung sind die jeweiligen Themen der Hausaufgabe
gegeben; zu beachten ist, daß bei dem zweiten und dritten Unter-
richtsabschnitt nicht nur die inhaltlichen Kriterien untersucht werden, sondern auch die jeweiligen stilistischen Mittel.

Eine alleinige Behandlung von „Ideen. Das Buch Le Grand" in
diesen Klassenstufen, müßte sich noch mehr auf einzelne Textpassa-
gen beschränken, um so die inhaltlichen Aussagen deutlicher hervortreten zu lassen:
1. Einführung – siehe oben „Harzreise",
2. „Berg-Idylle",
3. Liebe, Kapitel XVIII und II,
4. Napoleon und Le Grand, Kapitel VI bis X,
5. Schriftsteller, XI. und XIV. Kapitel,
6. Analyse von zwei Rezensionen/Stellungnahmen – siehe Anhang.

Auch hier gilt es, im Unterrichtsverlauf darauf zu achten, daß neben den inhaltlichen Schwerpunkten, die entsprechenden literarischen Mittel berücksichtigt werden. Beide Einzelbesprechungen
sollten jeweils nach der Einführung mit der „Berg-Idylle" beginnen;
den Schülern wird auf diese Weise ein Orientierungsrahmen gegeben.

Eine dritte Möglichkeit für diese Altersstufe besteht in einem kon-
trastierenden Verfahren: „Harzreise" und „Ideen. Das Buch Le
Grand" werden zusammen bearbeitet bzw. gegenübergestellt. Dabei würde sich folgender Unterrichtsverlauf ergeben:
1. und 2. wie oben,
3. Ideen der Französischen Revolution,

---

[233] Als Grundlage würden die einschlägigen Passagen bei Galley, Eberhard, Heinrich
Heine, Stuttgart 1963 u. ö. genügen.

4. Bundesgenossen der Restauration,
5. Rolle des politischen Schriftstellers,
6. Stilistische Mittel.

So können die Schüler aus der wechselseitigen Erhellung zahlreiche Passagen selbständig erarbeiten; z. B. wird durch eine Gegenüberstellung der Philister in der ,,Harzreise" mit den Hamburger Bürgern in ,,Ideen. Das Buch Le Grand" deutlich, warum Heine in diesen Typen Bewahrer der Restauration sieht usw.

Für das Unterrichtsverfahren bei den drei Modellen gilt, daß die einzelnen Themen in Gruppenarbeit behandelt werden können bzw. daß man die Themen für dieses Verfahren mit Hilfe der oben beschriebenen Analysen noch untergliedern kann. Alle drei Modelle können es auch bei einer kursorischen Lektüre der Texte belassen, ohne daß die Verstehensschwierigkeiten zusätzlich erhöht würden.

Für den Oberstufenunterricht ergeben sich bei einer Reihe zu Heines ,,Reisebildern" zahlreiche Möglichkeiten. Unter Berücksichtigung der eingangs aufgestellten literaturdidaktischen Überlegungen sollen hier Modelle skizziert werden: Bei einem Kursziel, das dem Schüler die Einsicht in die geschichtliche Bedingtheit von Texten vermitteln und damit verbunden unterschiedliche Analyseverfahren erarbeiten will[234], ist ein Unterrichtsablauf schon durch die Gliederung dieses Bandes gegeben. Das Setzen von Schwerpunkten würde allerdings eine gemeinsame Besprechung voraussetzen. Bei einem arbeitsteiligen Verfahren könnten folgende Themengruppen behandelt werden:

– Unter dem Begriff Gesellschaft und Politik: Napoleon, Ideen der Französischen Revolution, Deutschlandkritik, Aristokratismus, Bourgeoisie.
– Unter dem Begriff literarische Mittel: Witz – Satire – Ironie, Erzähltechniken,
– Unter dem Begriff Religion: positive Religionen, Staat und Kirche, Atheismus,
– Unter dem Begriff politischer Schriftsteller: literarische Situation, Verarbeitung der Realität, Heines Dichtungstheorie.
– Unter dem Begriff literarische Wertung: Analyse von Rezeptionsdokumenten.

---

[234] vgl. Curriculum Gymnasiale Oberstufe Deutsch.
Empfehlungen für den Kursunterricht im Fach Deutsch, hrsg. vom Kultusminister des Landes Nordrhein-Westfalen, 1973, 2. Auflage, S. 53.

Die einzelnen Gruppen bearbeiten ihr jeweiliges Thema und stellen dem Kurs dann anhand von Textbeispielen ihre Ergebnisse vor. Gemeinsam sollten allerdings die Rezeptionsdokumente behandelt werden – hier sind alle Schüler in der Lage, den hermeneutischen Vorgang zu durchschauen und zu dem jeweiligen Erwartungshorizont Stellung zu nehmen. Die für diese Unterrichtsreihe benötigten weiteren Texte werden in der Auswahlbibliographie genannt.

Die Vorschläge für Sekundarstufe I und II wurden vor allem im Rahmen der ,,Vorläufigen Richtlinien und Lehrpläne für das Gymnasium – Sekundarstufe I in Nordrhein-Westfalen" und des ,,Curriculum Gymnasiale Oberstufe Deutsch"[235] erprobt. Dabei ist aber zu beachten, daß Unterrichtsinhalte und Ergebnisse resp. Lernziele auch anderen Lehrplänen zugeordnet werden können. Zu verweisen ist vor allem auf:

– ,,Curriculare Lehrpläne für Deutsch in der Kollegstufe" (Leistungskurs/Grundkurs)[236], wobei hier die Lernziele des 1. und 2. Halbjahres im Leistungskurs genannt werden müssen[237]; ähnliches gilt für den Grundkurs[238].

– ,,Curricularer Lehrplan für Deutsch in der Jahrgangsstufe" 9 resp. 10[239]. In diesen Klassen ist der Rahmen vor allem durch die Hinweise betr. Literatur und Gebrauchstexte gegeben[240].

[235] s. o. Anm. 234.
[236] Amtsblatt des Bayerischen Staatsministeriums für Unterricht und Kultus, Teil I, Sondernummer 14, 14. IX. 1976.
[237] a. a. O., S. 436 ff. und S. 444 ff.
[238] a. a. O., S. 464.
[239] Amtsblatt des Bayerischen Staatsministeriums für Unterricht und Kultus; Kl. 9: Teil I, Sondernummer 13, 14. V. 1979, Kl. 10: Teil I, Sondernummer 17, 18. VI. 1980.
[240] Sondernummer 13, S. 425 ff., Sondernummer 17, S. 466 ff.

9. Textanhang

a) Zu „Nordsee III"

Die deutsche Literaturmisere

Oft, wenn ich die Morning-Chronicle lese, und in jeder Zeile das englische Volk mit seiner Nazionalität erblicke, mit seinem Pferderennen, Boxen, Hahnenkämpfen, Assisen, Parlamentsdebatten usw., dann nehme ich wieder, betrübten Herzens, ein deutsches Blatt zur Hand, und suche darin die Momente eines Volkslebens, und finde nichts als literarische Fraubasereyen und Theatergeklätsche.

Und doch ist es nicht anders zu erwarten. Ist in einem Volke alles öffentliche Leben unterdrückt, so sucht es dennoch Gegenstände für gemeinsame Besprechung, und dazu dienen ihm in Deutschland seine Schriftsteller und Comödianten. Statt Pferderennen haben wir ein Bücherrennen nach der Leipziger Messe. Statt Boxen haben wir Mystiker und Razionalisten, die sich in ihren Pamphlets herumbalgen, bis die Einen zur Vernunft kommen, und den Anderen Hören und Sehen vergeht und der Glauben bey ihnen Eingang findet. Statt Hahnenkämpfe haben wir Journale, worin arme Teufel, die man dafür füttert, sich einander den guten Namen zerreißen, während die Philister freudig ausrufen: sieh! das ist ein Haupthahn! dem dort schwillt der Kamm! der hat einen scharfen Schnabel! das junge Hähnchen muß seine Federn erst ausschreiben, man muß es anspornen usw. In solcher Art haben wir auch unsere öffentlichen Assisen, und das sind die löschpapiernen, sächsischen Literaturzeitungen, worin jeder Dummkopf von seines Gleichen gerichtet wird, nach den Grundsätzen eines literarischen Criminalrechts, das der Abschreckungstheorie huldigt, und, als ein Verbrechen jedes Buch bestraft. Zeigt der Verfasser desselben etwas Geist, so ist das Verbrechen qualifiziert. Kann er aber sein Geistesalibi beweisen, so wird die Strafe gemildert. Freylich, bey dieser literarischen Criminaljustiz ist es ebenfalls ein großes Gebrechen, daß dem richterlichen Ermessen so viel überlassen bleibt, um so mehr, da unsere Bücherrichter, eben so wie Fallstaff, sich ihre Gründe nicht abzwingen lassen, und manchmal selbst geheime Sünder sind und voraussehen, daß sie morgen von denselben Deliquenten gerichtet werden, über die sie heute das Urtheil sprechen. Die Jugend ist in unserer literarischen

Criminaljustiz ein bedeutender Milderungsgrund, und mancher alte Schriftsteller wird gelinde beurtheilt, weil man ihn für ein Kind hält. Sogar die in der letzten Zeit aufgekommene Erfahrung, daß junge Menschen, zur Zeit der Entwickelung ihrer Pubertät, ein krankhaftes Gelüste tragen, Brand zu stiften, hat auch in der Aesthetik ihren Einfluß gehabt, und man urtheilt deßhalb gelinder über so manche Flammentragödie, z. B. die Tragödie jenes feurigen Jünglings, der nichts geringeres als den königlichen Palast zu Persepolis in Brand gesteckt hat. Wir haben, um Vergleichungen fortzusetzen, gewissermaßen auch unsere Parlamentsdebatten, und damit meine ich unsre Theaterkritiken; wie denn unser Schauspiel selbst gar füglich das Haus der Gemeinen genannt werden kann, von wegen der vielen Gemeinheiten die darin blühen, von wegen des plattgetretenen französischen Unflats, den unser Publikum, selbst wenn man ihm am selben Abend ein Raupachsches Lustspiel gegeben hat, gar ruhig verzehrt, gleich einer Fliege, die, wenn sie von einem Honigtopfe weggetrieben wird, sich gleich mit dem besten Appetit auf einen Quark setzt und ihre Mahlzeit damit beschließt. Ich habe hier vorzüglich im Sinne Raupachs ,,Bekehrten", die ich vorigen Winter zu Hamburg, von den ausgezeichnetsten Schauspielern, aufführen sah, und zwar mit eben so vielem Beyfall, wie ,,die Schülerschwänke", ein parfümirtes Quärkchen, das gleich darauf, an demselben Abend, gegeben wurde. Aber auf unserem Theater gedeiht nicht bloß Mist, sondern auch Gift. In der That, höre ich wie in unseren Lustspielen die heiligsten Sitten und Gefühle des Lebens, in einem liederlichen Tone und so leichtfertig sicher abgeleyert werden, daß man am Ende selbst gewöhnt wird, sie als die gleichgültigsten Dinge zu betrachten, höre ich jene kammerdienerliche Liebeserklärungen, die sentimentalen Freundschaftsbündnisse zu gemeinschaftlichem Betrug, die lachenden Plane zur Täuschung der Eltern oder Ehegatten, und wie all diese stereotypen Lustspielmotive heißen mögen, ach! so erfaßt mich inneres Grauen und bodenloser Jammer, und ich schaue, ängstlichen Blickes, nach den armen, unschuldigen Engelköpfchen, denen im Theater dergleichen, gewiß nicht ohne Erfolg, vordeklamirt wird.

Die Klagen über Verfall und Verderbniß des deutschen Lustspiels, wie sie aus ehrlichen Herzen hervorgeseufzt werden, der kritische Eifer Tiecks und Zimmermanns, die bey der Reinigung unseres Theaters ein mühsameres Geschäft haben, als Herkules im Stalle des

Augias, da unser Theaterstall gereinigt werden soll während die Ochsen noch darin sind; die Bestrebungen hochbegabter Männer, die ein romantisches Lustspiel begründen möchten, die trefflichste und treffendste Satire, wie z. B. Roberts „Paradiesvogel" – nichts will fruchten, Seufzer, Rathschläge, Versuche, Geißelhiebe, Alles bewegt nur die Luft, und jedes Wort, das man darüber spricht, ist wahrhaft in den Wind geredet.

Unser Oberhaus, die Tragödie, zeigt sich in höherem Glanze. Ich meine hinsichtlich der Coulissen, Dekorazionen und Garderoben. Aber auch hier giebt es ein Ziel. Im Theater der Römer haben Elephanten auf dem Seile getanzt und große Sprünge gemacht; weiter aber konnt' es der Mensch nicht bringen, und das römische Volk ging unter, und bey dieser Gelegenheit auch das römische Theater. Auf unseren Theatern fehlt es in den Tragödien zwar auch nicht an Tanz und Sprüngen, aber diese werden hier von den jungen Tragöden selbst vollbracht; und da es wohl geschah, daß Frauenzimmer durch große Sprünge plötzlich zum Manne geworden, so handelt ein weibisches Poetlein wahrhaft pfiffig, wenn es mit seinen lahmen Jamben recht große Alexandersprünge versucht.

Da aber einmal von deutscher Literaturmisere die Rede ist, und ich jetzt noch nicht gesonnen bin, mich reichlicher darüber zu verbreiten, so mag wohl hier eine fügliche Stelle seyn zum Einschalten der folgenden Xenien, die aus der Feder Immermanns, meines hohen Mitstrebenden, geflossen sind, und die mir derselbe jüngsthin geschenkt hat.

zit. nach: DHA, VI, S. 281 ff.

Varnhagens Motto zu „Nordsee III"

Die deutschen Lebensgebiete haben von jeher den eignen Anblick gewährt, daß sie die Fülle der herrlichsten Gaben und Kräfte immer auch durch den Drang der größten Schwierigkeiten und Hindernisse umstellen, und kaum der übermächtigsten Anstrengung dann und wann gestatten, zu ihrem Ziel in das offene Weite völlig durchzubrechen. Die Anlage zum Großen, die Kraft zum Thätigen, der Eifer der Gesinnung erscheinen hier stets in reichster Darbietung, aber alsobald setzt das Leben sich ihnen entgegen von allen Seiten, drängt sie nieder auf geringere Stufen und beschränkt sie auf engeren Raum,

als ihrem inneren Berufe zu gebühren schien. Die Gemüthskraft und Geistesstärke des Einzelnen mag noch so groß sein, die der Nation, vertheilt und belebt in ihren getrennten Gliedern, steht mächtiger daneben, und verwehrt die großen freien Bahnen, die wir bei andern Völkern jedem Außerordentlichen so bald und leicht eröffnet sehn. Unsre Litteratur wie unsre Politik sind reich an Beispielen dieser Eigenheit; unsre Helden in beiden, unsre Fürsten, Feldherren, Staatsmänner, Reformatoren, Bildner in Kunst und Leben, alle mußten ihre größten Gaben, ausgestattet für Vollgewinn, um geringeren verwenden, der selbst nur um jenen Preis erreichbar wurde. Auch Luther und Friedrich der Große, gerüstet und gerufen für die Gesammtheit des Vaterlandes, konnten in dessen Vielgestalt und Zersplitterung, wie mächtige Werke sie auch darin gebildet, nicht das Ganze vereinigend umfangen.

aus: Varnhagen von Ense, Karl August, Biographische Denkmale, Berlin 1824, S. 1 f.

b) Bundes-Preßgesetz

(„Provisorische Bestimmungen hinsichtlich der Freiheit der Presse")
vom 20. September 1819
(Protokolle der Bundesversammlung 1819, 35. Sitzung, § 220)

§ 1. So lange als der gegenwärtige Beschluß in Kraft bleiben wird, dürfen Schriften, die in der Form täglicher Blätter oder heftweise erscheinen, deßgleichen solche, die nicht über 20 Bogen im Druck stark sind, in keinem deutschen Bundesstaate ohne Vorwissen und vorgängige Genehmhaltung der Landesbehörden zum Druck befördert werden. Schriften, die nicht in eine der hier namhaft gemachten Classen gehören, werden fernerhin nach den in den einzelnen Bundesstaaten erlassenen oder noch zu erlassenden Gesetzen behandelt. Wenn dergleichen Schriften aber irgend einem Bundesstaate Anlaß zur Klage geben, so soll diese Klage im Namen der Regierung, an welche sie gerichtet ist, nach den in den einzelnen Bundesstaaten bestehenden Formen, gegen die Verfasser oder Verleger der dadurch betroffenen Schrift erledigt werden.

§ 2. Die zur Aufrechterhaltung dieses Beschlusses erforderlichen Mittel und Vorkehrungen bleiben der nähern Bestimmung der Re-

gierungen anheimgestellt; sie müssen jedoch von der Art seyn, daß dadurch dem Sinn und Zweck der Hauptbestimmung des § 1 vollständig Genüge geleistet werde.

§ 3. Da der gegenwärtige Beschluß durch die unter den obwaltenden Umständen von den Bundes-Regierungen anerkannte Nothwendigkeit vorbeugender Maßregeln gegen den Mißbrauch der Presse veranlaßt worden ist, so können die auf gerichtliche Verfolgung und Bestrafung der im Wege des Drucks bereits verwirklichten Mißbräuche und Vergehungen abzweckenden Gesetze, in so weit sie auf die im 1. § bezeichneten Classen von Druckschriften anwendbar seyn sollen, so lange dieser Beschluß in Kraft bleibt, in keinem Bundesstaate als zureichend betrachtet werden.

§ 4. Jeder Bundesstaat ist für die unter seiner Oberaufsicht erscheinenden, mithin für sämmtliche unter der Hauptbestimmung des § 1 begriffenen Druckschriften, in so fern dadurch die Würde oder Sicherheit anderer Bundesstaaten verletzt, die Verfassung oder Verwaltung derselben angegriffen wird, nicht nur den unmittelbaren Beleidigten, sondern auch der Gesammtheit des Bundes verantwortlich.

§ 5. Damit aber diese, in dem Wesen des deutschen Bundes-Vereins gegründete, von dessen Fortdauer unzertrennliche, wechselseitige Verantwortlichkeit nicht zu unnützen Störungen des zwischen den Bundesstaaten obwaltenden freundschaftlichen Verhältnisses Anlaß geben möge, so übernehmen sämmtliche Mitglieder des deutschen Bundes die feierliche Verpflichtung gegen einander, bei der Aufsicht über die in ihren Ländern erscheinenden Zeitungen, Zeit- und Flugschriften mit wachsamem Ernste zu verfahren, und diese Aufsicht dergestalt handhaben zu lassen, daß dadurch gegenseitigen Klagen und unangenehmen Erörterungen auf jede Weise möglichst vorgebeugt werde.

§ 6. Damit jedoch auch die durch gegenwärtigen Beschluß beabsichtigte allgemeine und wechselseitige Gewährleistung der moralischen und politischen Unverletzlichkeit der Gesammtheit und aller Mitglieder des Bundes nicht auf einzelnen Puncten gefährdet werden könne, so soll in dem Falle, wo die Regierung eines Bundesstaates sich durch die in einem andern Bundesstaate erscheinenden Druckschriften verletzt glaubte, und durch freundschaftliche Rücksprache oder diplomatische Correspondenz zu einer vollständigen Befriedigung und Abhülfe nicht gelangen könnte, derselben ausdrücklich

vorbehalten bleiben, über dergleichen Schriften Beschwerde bei der Bundesversammlung zu führen, letztere aber sodann gehalten seyn, die angebrachte Beschwerde commissarisch untersuchen zu lassen und, wenn dieselbe gegründet befunden wird, die unmittelbare Unterdrückung der in Rede stehenden Schrift, auch wenn sie zur Classe der periodischen gehört, aller fernern Fortsetzung derselben durch einen entscheidenden Ausspruch zu verfügen.

Die Bundesversammlung soll außerdem befugt seyn, die zu ihrer Kenntniß gelangenden, unter der Hauptbestimmung des § 1 begriffenen Schriften, in welchem deutschen Staate sie auch erscheinen mögen, wenn solche, nach dem Gutachten einer von ihr ernannten Commission, der Würde des Bundes, der Sicherheit einzelner Bundesstaaten oder die Erhaltung des Friedens und der Ruhe in Deutschland zuwiderlaufen, ohne vorhergegangene Aufforderung, aus eigener Autorität, durch einen Ausspruch, von welchem keine Appellation stattfindet, zu unterdrücken, und die betreffenden Regierungen sind verpflichtet, diesen Ausspruch zu vollziehen.

§ 7. Wenn eine Zeitung oder Zeitschrift durch einen Ausspruch der Bundesversammlung unterdrückt worden ist, so darf der Redacteur derselben binnen fünf Jahren in keinem Bundesstaate bei der Redaction einer ähnlichen Schrift zugelassen werden. Die Verfasser, Herausgeber, und Verleger der unter der Hauptbestimmung des § 1 begriffenen Schriften bleiben übrigens, wenn sie den Vorschriften dieses Beschlusses gemäß gehandelt haben, von aller weitern Verantwortung frei, und die im § 6 erwähnten Aussprüche der Bundesversammlung werden ausschließend gegen die Schriften, nie gegen die Personen, gerichtet.

§ 8. Sämmtliche Bundesglieder verpflichten sich, in einem Zeitraum von zwei Monaten die Bundesversammlung von den Verfügungen und Vorschriften, durch welche sie dem § 1 dieses Beschlusses Genüge zu leisten gedenken, in Kenntniß zu setzen.

§ 9. Alle in Deutschland erscheinenden Druckschriften, sie mögen unter den Bestimmungen dieses Beschlusses begriffen seyn oder nicht, müssen mit dem Namen des Verlegers und, in so fern sie zur Classe der Zeitungen oder Zeitschriften gehören, auch mit dem Namen des Redacteurs versehen seyn. Druckschriften, bei welchen diese Vorschrift nicht beobachtet ist, dürfen in keinem Bundesstaate in Umlauf gesetzt und müssen, wenn solches heimlicher Weise geschieht, gleich bei ihrer Erscheinung in Beschlag genommen, auch

die Verbreiter derselben, nach Beschaffenheit der Umstände, zu angemessener Geld- oder Gefängnißstrafe verurtheilt werden.

§. 10. Der gegenwärtige einstweilige Beschluß soll, vom heutigen Tage an, fünf Jahre lang in Wirksamkeit bleiben[241]. Vor Ablauf dieser Zeit soll am Bundestage gründlich untersucht werden, auf welche Weise die im 18. Artikel der Bundes-Acte in Anregung gebrachten gleichförmigen Verfügungen über die Preßfreiheit in Erfüllung zu setzen seyn möchten, und demnächst ein Definitiv-Beschluß über die rechtmäßigen Grenzen der Preßfreiheit in Deutschland erfolgen.

c) Rezeption

Karl August Varnhagen von Ense: Rezension der „Reisebilder I" (1826)

Er ist in der That nicht bloß ein Dichter, wie jeder Humorist im Allgemeinen es heißen kann, sondern auch in dem engeren Wortsinne, in welchem die meisten Humoristen es nicht sind. Dies ist ein Vorzug, der noch sehr weit führen kann. Aber wo viel Licht ist, ist auch viel Schatten, pflegt man zu sagen, will man vom Lobe zum Tadel übergehn, und so möchten auch wir gern das Sprüchwort uns zur Brücke machen, wenn sie uns nicht gleich unhaltbar würde! Denn das ist eben das Eigne, die Kunst, das Glück, oder auch der Nachtheil jedes Autors dieser Art, daß die Elemente seiner Darstellungsweise nicht nebeneinander zum Sortiren, Auswählen und Absondern daliegen, sondern untereinander verflochten und verwachsen, ineinander gemischt und gebunden sind, und ihre Scheidung nicht ohne Zerstörung des Vorhandenen geschehn kann. Der Schatten, welchen wir nachweisen möchten, steht hier ganz im Lichte, das Licht, von dem wir geredet, ganz im Schatten, wenn wir so reden dürfen! Ohne Frage, die Wagnisse des Verfassers gehn bis zum Frevelhaften, seine Freiheiten bis zur Frechheit – die zwar selbst schon längst in unsrer Litteratur die göttliche heißt, seit Friedrich Schlegel in der Lucinde und im Athenäum sie so getauft und geweiht! – sein Muthwille wird Ausgelassenheit, seine Willkür verschmäht auch das

---

[241] Verlängert auf unbestimmte Zeit (d. h. bis zum Erlaß des in Art. 18 der Bundesacte vorgesehenen definitiven Preßgesetzes, das niemals zustande kam) durch Beschluß der Bundesversammlung vom 16. August 1824 (Prot. d. dt. BV. 1824, § 131).

Gemeine nicht, wenn sie unerwartet damit die Erwartung wecken, durch einen Satz dorthin die gespannte Einbildungskraft plötzlich kann abschnappen lassen. Allein gerade in diese Wendungen und Sprünge windet sich der Gedanke mit ein, springt der Witz mit, und wir müssen – gleich dem Indier, der in dem unreinsten Gethier, das vom geweihten Tempelbrote genascht, nun den Behälter des Geweihten verehrt – noch in der unangenehmsten Gestalt den darin verkörperten Geist anerkennen. [...]

Die dritte Abtheilung enthält die Harzreise, welche, wie mehrere der Gedichte, zum Theil schon im Gesellschafter abgedruckt erschienen ist; sie hat aber Zusätze und Ergänzungen erhalten. Der Verfasser geht von Göttingen aus und besucht den Harz, hat aber dabei beständig auch Berlin vor der Seele. Diesen Zusammenhang von reichen, treffenden Naturbildern, feinen Beobachtungen, schalkhaften, witzigen, beißenden Scherzen, persönlichen Feindseligkeiten, weichen Gefühlen, reizenden Liedern, tollen Fratzen, unglaublichen Verwegenheiten usw. können wir hier nicht zergliedern; wir überlassen dem Leser selbst, daran sich ärgerlich und liebevoll wie er kann, zu ergötzen; nur bemerken wir, daß das Vernunftgespenst ein wahres Meisterstück tiefsinniger Laune, und daß die Ehrenrettung eines im Text irrig verunglimpften Schauspielers in ihrer Art einzig ist.

aus: Gesellschafter 103, 30. VI. 1826.

Karl August Varnhagen von Ense: Rezension der „Reisebilder II" (1827)

Der Lebensgehalt europäischer Menschen, wie er sich als Wunsch, als Seufzer, als Verfehltes, Unerreichtes, als Genuß und Besitz, als Treiben und Richtung aller Art darstellt, ist hier in gediegenen Auszügen ans Licht gebracht. Die Ironie, die Satyre, die Grausamkeit und Rohheit, mit welchen jener Lebensgehalt behandelt wird, sind selbst ein Theil desselben, so gut wie die Süßigkeit, die Feinheit und Anmuth, welche sich dazwischen durchwinden; und so haben jene Härten, die man dem Dichter so gern wegwünscht, in ihm dennoch zuletzt eine größere Nothwendigkeit, als man ihnen anfangs zugesteht. [...] Mögen die Kritiker des Tages immerhin vorzugsweise die skurrile Außenseite beschreien und anklagen, dem sinnigen Leser

kann nicht verborgen bleiben, welch heller, echter Geisteseinblick, welch starke, schmerzliche Gefühlsgluth, mit Einem Worte, welch edle und tiefe Menschlichkeit hier in Wahrheit zum Grunde liegt!

aus: Gesellschafter 178, 7. XI. 1827.

Ignaz Döllinger: Über Heine (1828)

Während andere seiner Stammesgenossen ihre Israelitische Abkunft zu verbergen suchen, gibt sich unser Herr Politiker ganz unverhohlen als Juden zu erkennen, und wählte für dieses sein Bekenntnis das passendste Vehikel: Lästerung dessen, was dem Christen das Heiligste ist.

Man sieht, Hr. Cotta weiß seine Leute zu wählen, und Hr. Heine besitzt doch wenigstens die erste, einem politischen Schriftsteller des Tags nothwendige Eigenschaft: Frechheit und Unverschämtheit.

Er ist indessen nicht so ganz Jude, daß er nicht auch den heiligen Geist glaubte, nämlich an den, der [...] die *Zwingherrenburgen* zerbrach, und das alte Recht erneut, daß alle Menschen gleichgebohren, ein adeliches Geschlecht seyen. Dieser neuentdeckte heilige Geist hat, wie ebendaselbst zu lesen ist, seine wohlgewappneten Ritter, unter die sich auch Herr Heine zählt. Wir geben ihm indessen zu bedenken, ob er bei einer solchen allgemeinen Baronisierung des ganzen Menschengeschlechts, vom Hottentotten an bis hinauf zu den Monarchen-Familien Europas, wirklich etwas gewinnen dürfte; denn *sein* Stammbaum der schnurgerade bis auf Abraham zurückführt, ist ja doch begreiflich viel älter, als der des ersten Barons in der Christenheit.

Es versteht sich nun, daß unser Ritter vom heiligen Geist auch den politischen Annalen diesen seinen Geist, eingehaucht. [...] Bey Herrn Heine kommt noch, um mich seines Ausdrucks zu bedienen, die specielle Malice hinzu, die er, als Ritter vom gleichmachenden, heiligen Geiste, auf den Adel hat, und die ihn, natürlich bestimmt, dem bürgerlichen Voß gegen den adelichen Stolberg Recht zu geben.

Dabei hat die Sympathie, welche er für den tiefen Schmerz des verstorbenen Voß fühlt, etwas wahrhaft Rührendes; [...] er – Herr Heine – wisse leider nur zu gut, wie wehe der Stich einer solchen hochadeligen Viper thue. Aber – wie in aller Welt mag nur Herr

Heine in so nahe Berührung mit einer hochadelichen Viper gekommen seyn?

Wir sollten denken, zwischen ihm und dem hohen Adel müsse noch wenig Verkehr stattgefunden haben. Hat ihm vielleicht ein Edelmann auf einem Balle auf den Fuß getreten, oder ihm eine Unverschämtheit etwas derb verwiesen? oder fühlt sich der Ritter schon dadurch gekränkt, daß die Aristokratie der alten christlichen Familien sich gegen den neuen jüdischen Geldadel so spröde und zurückhaltend bezeigt?

Herr Cottas längst bewährte Klugheit zeigt sich übrigens auch darin, daß er sich in jetziger Zeit, wo die drei Prozents, die Anleihen und das Haus Rothschild eine so bedeutende Rolle in der Politik spielen, einen Juden zum Redakteur seines politischen Journals ausgesucht hat. Mit seiner angebohrenen Antipathie gegen die alten Elemente der Staaten, Klerus, Adel, Bürger- und Bauernstand, und mit seinem gleichfalls angebohrenen Talent für die alles beherrschenden finanziellen Verhältnisse kann Hr. Heine mit der Zeit noch aus einem theoretischen und schreibenden ein tüchtiger praktischer Politikus werden.

aus: Eos 132, 10. VIII. 1828.

Karl August Varnhagen von Ense: Rezension der „Reisebilder III" (1830)

Wenn von Aristophanes die Rede ist, so kann man nicht umhin, sich auf Frechheit einzulassen. Frech allerdings ist dieses Buch, wie eine schnöde Vertheidigung auf schnöden Angriff nur sein kann; frech auch in Nebendingen in willkürlicher Feindschaft, in allgemeinem Spotte. Wir würden aber doch dem Buche und dem Verfasser sehr unrecht thun, wenn wir verkennen wollten, daß neben der Frechheit auch wahrhaft edler Muth, neben der bittern Satyre auch ernste Gesinnung vorhanden ist, und daß die Rohheit des Stoffes meist durch die graziöseste Behandlung gemildert wird, welche nicht selten eine tiefere Innigkeit durchblicken läßt, zu der uns der Verfasser eigentlich mehr noch als zum gehässigen Streite berufen scheint.

aus: Blätter für literarische Unterhaltung 44, 13. II. 1830.

Ludolf Wienbarg: Ästhetische Feldzüge (1834)

Welches Merkmal ist es also, das die Ästhetik der neuesten Literatur, die Prosa eines Heine, Börne, Menzel, Laube von früherer Prosa unterscheidet? Ich möchte ein Wort dafür geben und sagen, dies Merkmal ist die Behaglichkeit, die sichtbar aus der Goetheschen und Jean Paulschen Prosa spricht und die der neuesten fehlt. Jene früheren Großen unserer Literatur lebten in einer von der Welt abgeschiedenen Sphäre, weich und warm gebettet in einer verzauberten idealen Welt, und sterblichen Göttern ähnlich auf die Leiden und Freuden der wirklichen Welt hinabschauend und sich vom Opferduft der Gefühle und Wünsche des Publikums ernährend. Die neueren Schriftsteller sind von dieser sicheren Höhe herabgestiegen, sie machen einen Teil des Publikums aus, sie stoßen sich mit der Menge herum, sie ereifern sich, freuen sich, lieben und zürnen wie jeder andere, sie schwimmen mitten im Strom der Welt, und wenn sie sich durch etwas von den übrigen unterscheiden, so ist es, daß sie die Vorschwimmer sind, und sei es nur trocken und elegant auf dem Rücken eines Delphins, wie Heine, oder naß und bespritzt, wie Börne, den Gestaden der Zukunft entgegeneilen, welche die Zeit für ,,ihre hesperischen Gärten glücklicher Inseln" ansieht.

Behaglichkeit ist in solcher Lage und bei solchem Streben nicht wohl denkbar, die Schriftstellerei ist kein Spiel schöner Geister, kein unschuldiges Ergötzen, keine leichte Beschäftigung der Phantasie mehr, sondern der Geist der Zeit, der unsichtbar über allen Köpfen waltet, ergreift des Schriftstellers Hand und schreibt im Buch des Lebens mit dem ehernen Griffel der Geschichte, die Dichter und ästhetischen Prosaisten stehen nicht mehr, wie vormals, allein im Dienst der Musen, sondern auch im Dienst des Vaterlandes und allen mächtigen Zeitbestrebungen sind sie Verbündete. Ja, sie finden sich nicht selten im Streit mit jenem schönen Dienst, dem ihre Vorgänger huldigten, sie können die Natur nicht über die Kunst vergessen machen, sie können nicht immer so zart und ätherisch dahinschweben, die Wahrheit und Wirklichkeit hat sich ihnen zu gewaltig aufgedrungen, und mit dieser, das ist ihre Schicksalsaufgabe, mit dieser muß ihre Kraft so lange ringen, bis das Wirkliche nicht mehr das Gemeine, das dem Ideellen feindlich Entgegengesetzte ist.

aus: Ästhetische Feldzüge, Hamburg 1919², S. 242.

Hermann Marggraff:
Deutschlands jüngste Literatur- und Kulturepoche (1839)

Es liegt ein alles Heilige zerfressendes Element in der Witzkraft Heines und man macht darum eine Anklage noch nicht grundlos, wenn man sie ihrer Gründlichkeit wegen albern und pedantisch schilt. Nun wohl, ich gesteh es offen, ich bin auch solch ein Pedant, ein so langweiliger Gesell, daß ich das faunische Vergnügen nicht begreife, womit man, als geschähe dadurch der Menschheit ein Heil, eine Stütze des religiösen Glaubens nach der andern mit dem Grabscheit der Skepsis zu untergraben und mit dem Hammer des Witzes den schönen symbolischen Schmuck loszulösen und zu zerbröckeln versucht. Geschähe es bei Heine nur noch mit Ernst und Würde und im Interesse der Wissenschaft – aber zu deutlich spielt jene faunische Lust über das Profil seiner Darstellung, wenn er so hinterrücks dem Christenthum – man gestatte mir hier den bezeichnendsten Ausdruck für die Tücke – einen Esel gebohrt zu haben glaubt! wenn es ihm wieder einmal gelungen ist, einen Gläubigen zu ärgern, einen Ungläubigen zu belustigen, und irgendeinen Glaubensartikel, ein Glaubenssymbol lächerlich zu machen! Er wagt sich an das Höchste und Heiligste, weil dazu das größte Maß von Unverschämtheit erfordert wird, und Unverschämtheit jetzt für Charakterstärke ausgelegt und um eines schnöden Witzes willen das freventlichste Attentat in Schutz genommen wird. Was hat die leidende Menschheit von eurem Witze, eurer Verstandesschärfe, wenn ihr alle Tröstungen eine nach der andern anbohrt und tilgt? hat sie einen Ersatz dafür im diesseitigen Leben? kann sie schwelgen wie ihr an brechenden Tafeln, die moderne Zerrissenheit wie ihr in den Hotels mit Champagner herunterspülen, auf weichem Canape wie ihr sich dehnen und den Jammer des Unglaubens wie ihr träumerisch verlullen und verdammeln? – Ich für mein Theil halte die religiöse Andacht für ein der Menschheit angebornes ursprüngliches Gefühl, und einen Zustand, in welchem dies Gefühl, wie das Licht in einem luftleeren oder einem mit giftigen Dünsten erfüllten Raum, erlischt, für einen depravirten, abnormen und ungesunden Zustand, nur möglich zu einer Zeit, die sich auf dem Boden des nackten Verstandes, wohnliche Hütten bauen will, und doch nach jeder Schicht Verstand auf eine Schicht Skepsis stößt, welche das Haus mit Schwämmen überzieht und zerstört und überhaupt keinen Grund abgiebt, auf den man bauen

kann. Fahrt fort, den modernen skeptischen Verstand (die wahre menschliche Vernunft protestiert gegen seine Anmaßungen) als Herrscher der Zeit auszurufen, aber jammert, jammert um dieser Herrschaft willen, welche jedes ursprüngliche Gefühl ausrottet und wie Herodes in Bethlehemitischen Kindermorden gegen den Heiland rast. Ich sage euch, mit all euren anrüchigen, verderbten, raffinirten, Alles bezweifelnden, Alles bespöttelnden, Alles untergrabenden, jede Sympathie, jedes ursprüngliche Gefühl vernichtenden und verspottenden und von aller religiösen Empfindung losgelösten Characteren erbauen wir keine gesunde Zeit, die Bestand haben könnte! [...] Wenn ich aber Heine's letzte prosaische Schriften lese, so möchte ich nicht beten: Herr, erlöse uns vom Uebel, sondern erlöse uns vom Witze, der unser Uebel ist in Ewigkeit: Amen!

Freilich ist nichts an sich böse, aber Alles wird böse durch die Art wie man es anwendet, durch den Mißbrauch, den man damit treibt, durch die Richtung, die man ihm giebt. Konnten wir uns nicht mit der ernsten Angelegenheit eines neuen politischen Systems begnügen? sind nicht herrliche Ideen erweckt worden, für die zu schreiben und zu kämpfen Ehre und Lust war? giebt es nicht eine hinlängliche Masse gemeiner und schlechter Gesinnung, um dahin zu wirken, daß eine allgemein geistige Schilderhebung dagegen statt fände? und könnte dieser Kampf, wie bei Börne, nicht auch bei uns Aufgabe eines Lebens, und Lebens und Sterbens würdig sein? [...] Aus solchen Elementen erzeugt sich der republikanische Ernst nicht; republikanischer Sinn oder Sittenstrenge ist ein Unding; Heine trägt ihn zuweilen nur so zur Schau, und wenn man ihn unter die Spartaner sich versetzt dächte und von ihm verlangte, er solle statt ein Diner bei Véry eine spartanische Blutsuppe zu sich nehmen, so hätten wir an ihm dieses grausamen Verlangens wegen einen Revolutionär gegen die Republik überhaupt; es muß sich gut und bis in die Nacht hineinleben lassen, wo Heine seine Freiheitsideen courbettiren läßt. [...] Heine hat einen bedeutenden Einfluß auf die Jugend geübt, besonders auf ihre Reimfertigkeit und die Neigung, ihre Katzenjammerstunden zu verherrlichen und diese rhythmischen Verklärungen ihrer Liederlichkeit in alle Welt gedruckt ausgehen zu lassen.

aus: Deutschlands jüngste Literatur- und Kulturepoche, Leipzig 1839, S. 244 f.

Robert Prutz
Vorlesungen über die deutsche Literatur der Gegenwart (1847)

Eines blieb noch übrig, Eines war noch zurück: der Aussatz, das prickelnde Brennen und Jucken, das schamlose Hervortreten des inneren Krankheitsstoffes, als Witz, als Spaß, der Nihilismus als Frivolität, die Selbstvernichtung als Selbstverhöhnung. Dies war der Standpunkt Heines, dies der Ursprung der ungeheuren Erfolge, die er errang, der Herrschaft, die er Jahrelang über unsere Literatur ausübte. Wir litten alle an denselben Wunden: aber nur er hatte die Stirn, die Wunden aufzudecken und vor allem Volk, behaglich, in gieriger Lust darin zu wühlen. Wir steckten alle in demselben Schlamm, aber nur er fand es nicht nöthig, sich zu parfümieren, er warf die romantischen Dehors der Restaurationsepochen von sich und zeigte sich nackt, wie er war. Wir alle waren so verderbt, so glaubenlos, so verarmt an sittlichem Ernst und fester männlicher Tugend: aber nur ihn genirte es nicht, das Bekenntnis seiner Nichtsnutzigkeit abzulegen, nur er fand es ganz natürlich, daß, wer ein Lump war, sich auch als Lump bekannte! Heine hatte den Muth der Gemeinheit: ein zweideutiges, beklagenswerthes Verdienst, und doch ein Verdienst, weil es immer besser ist, das Gift kommt zu Tage, als daß es heimlich, unter der Maske der Gesundheit, das Leben zernagt. Heine ist die Romantik ohne romantische Illusion, ganz baar, ganz nackt, die reine Willkür, das bloße geniale Belieben, das nichts hat, nichts will, als bloß sich selbst – und auch dies sein eigenes Selbst verachtet er, weil er weiß, wie wertlos es ist! [...]

Gerade der Heineschen Frechheit sollte nichts gefährlicher werden, als der Ernst der Freiheit; gerade für die geniale Blasirtheit, die ironische Leerheit seines Standpunktes, wäre nirgends weniger Raum gewesen, als in der Mitte eines wirklich freien, das heißt, eines sittlich erfüllten, energischen, tatkräftigen Volkslebens; nirgends würde die bodenlose Willkür seines Egoismus sich unbehaglicher fühlen, als unter der Herrschaft des Gesetzes, welches die Freiheit auf den Thron erhöht. – In dem Paris, wie es durch die Julirevolution geworden, in diesem Frankreich Louis Philippes, unter dieser lügnerischen Larve, diesen frivolen Scheinbildern der Freiheit, da allerdings war Heine's Platz, da konnte er sich wohl fühlen, von da konnte er uns das Evangelium einer Freiheit predigen, an die er selbst nicht glaubt. Die wirkliche würde ihn unglücklich gemacht,

sie würde ihn zerschmettert, vor Allem, sie würde ihn gelangweilt haben. – Heine selbst hat das nicht nur gefühlt, er hat es auch ausgesprochen: ausgesprochen in dem fanatischen Haß, mit welchem er die schwäbische Dichterschule verfolgt, eben um des sittlichen Elements willen, welches in ihr lebt. [...]

Denn dies ist der Punkt: Heine ist der Sohn der Restauration.

aus: Vorlesungen über die deutsche Literatur der Gegenwart, Leipzig 1847, S. 239 ff.

Hermann Hettner: Schriften zur Literatur (1850)

Was ist diese neueste deutsche Poesie, namentlich seit den Einwirkungen der französischen Julirevolution, wenn nicht dieses unablässige Ringen und Streben nach Freiheit und schöner Menschlichkeit? An der Spitze dieses Kampfes steht Heinrich Heine. Heine ist so recht in all seinen Eigentümlichkeiten der Sprößling einer Übergangsperiode.

Die Morgenröte der neuen Zeit ist bereits in ihm aufgegangen, aber noch schimmert die mondbeglänzte Zaubernacht der Romantik in sie hinein. Heine kennt bereits die religiöse, politische und sittliche Freiheit, die das Ziel der neuen Zeit ist, und spielt ihren begeisterten Propheten, aber er spielt ihn nur. Kaum hat er unser Herz hineingesungen in die reiche Wunderwelt der schönsten Zukunftsträume, da kommt sogleich hinterrücks der echt romantische Zug der ironischen Persiflage und zerstört im herostratischen Wahnsinn die eigene Schöpfung. [...]

Die kommenden Jahre werden die Entscheidung bringen. Entweder wir erringen, was wir in unseren jetzigen politischen Kämpfen erstreben, wir werden, wie es Deutschland zukommt, eine große und freie Nation. Dann wird eine neue Glanzzeit unserer Kunst und Poesie nicht ausbleiben, die an Gehalt und Schönheit die Goethe-Schillersche Dichtung ebensosehr überstrahlt wie diese politische Zukunft die schmachvolle Vergangenheit. Oder – was gütige Götter verhüten mögen? – Deutschland übersteht diese furchtbare Krisis nicht und versumpft in traurige Scheinexistenz. Dann verkümmert naturgemäß auch unsere Kunst und Bildung. Deutschland könnte dann leicht ein zweites Byzanz werden.

Unsere konservativen Parteien betrachten sich jetzt, der drohenden Barbarei gegenüber, so gern als die Hüter und Retter deutscher

Sitte und Bildung. Welche stolze und beneidenswerte Aufgabe! Nur mögen sie sich vor dem Wahne hüten, als sei die gewaltsamste Niederdrückung der politischen Bewegung auch die gründlichste Erfüllung dieses hohen Berufes. Unabsehbar lange, wüste, kulturvernichtende Gärungen kommen dann nur um so unausbleiblicher. Nur in einem wahrhaft gesunden Staate gedeiht gesunde Bildung.

aus: Schriften zur Literatur, Berlin 1959, S. 163 f.

Georg Gottfried Gervinus: Geschichte des 19. Jahrhunderts (1866)

In Deutschland hat der Nothzwang der Zeit zu Verbannung und Auswanderung nicht geführt, aber es gab in der deutschen Literatur gleichwohl Geächtete und Exilirte im Inlande, jene Schreiber jüdischer Herkunft, die ganz ähnlich wie die spanischen und italienischen Verbannten ihre Haßgefühle als Regungen der Menschlichkeit auslegten; auch bei ihnen nahm die schon früher begonnene ästhetische, sittlich und politische Befehdung der Zeit jetzt, in der zweiten Hälfte des Jahrzehnts, eine grellere Farbe an. Müssen die Heine und Börne für diejenigen gelten, die vor der Julirevolution dem unter Byrons Einflüssen veränderten literarischen und politischen Geiste zuerst in Deutschland Bahn gebrochen und die Gemüther reizbarer und für die plötzlichen Umwälzungen von 1830 empfänglicher gestimmt haben [...] und bei keiner Vergleichung könnte Byron und seine englische Lebensschule größer in der Meinung emporsteigen. Lord Byron war geboren in dem Stande, der ihm in dem Senat der freiesten Nation einen Sitz gab, und erwachsen in einer Umgebung, die sich den weitesten Weltverhältnissen stündlich verkettet fühlte, wogegen diese Beiden, wie heimathlos, in bestimmte Coterien und Gesichtskreise festgebannt waren und ihre ersten Blicke in die Welt thaten in der widrigen Schule der Berliner Schöngeisterei, wo sie nichts so sicher lernten, als alle Dinge zu Gegenständen ihres ätzenden Witzes zu machen. In Byron war durch seine tragische Geburt und Jugendgeschicke jener überhobene Stolz des Selbstgefühls groß aufgeschossen, wo diese (wie die Eingeweihten der Berliner Kreise selbst in Börne, dem ernster Bestrebten unter beiden, fanden) jene ungeheure Eitelkeit in sich hätschelten, die sich bei geistreichen Juden so oft bis zur Caricatur verzerrt. Im Zusammenhang mit jenem hochgehenden Stolze stand bei Byron die achtungswertheste Seite

seiner Natur, die vollendete Unfähigkeit und Unlust zu irgend einer Verstellung und Unwahrheit, wo es einem Heine dagegen all sein Leben gleichgültig war, über Menschen und Dinge – wie es ihm eben diente – Irrthum oder Wahrheit auszusagen oder zu verleugnen. [...] Bei Byron war das Unsittliche in Leben und Schrift zum guten Theil in dem Trotze gegen das englische Nationallaster der heuchlerischen Scheinheiligkeit gewurzelt, und es ward oft erlebt, daß Gewissen und Scham nie ganz in ihm abgestumpft ward: wogegen sich Heine, nachdem er einmal die ideale Schwärmerei der ersten Jugend abgestreift und mit ihr jede Spur des Schamgefühls ausgezogen hatte, in der Selbstbefleckung durch das Uebermaas von Haß und Liebe bis zu der Selbstberühmung gefiel, daß er groß that mit seiner heidnischen Vielgötterei in der Liebe, daß er der nazarenischen Enthaltsamkeit der verschämten Leute wie Börne höhnte, daß er der steifen Sittlichkeit und der Religion die die Sinne zur Heuchelei gezwungen den offenen Krieg erklärte, daß er sich unter all den großen Missionen und all den ersten Rollen, die er sich nach Börne's treffendem Spotte in dem Schauspiel der Weltverbesserung anmaaßte, auch die des Antichrists beilegte, von dem Voltaire nur der Vorverkünder gewesen. [...]

Sieht man zu, wie er selbst und Heine, die Beide ohne Begriff und Sinn für das Staatsleben waren, diesem Berufe oblagen, so findet man die spärlichsten Körnchen politischen Witzes in einer Oede von Urtheilslosigkeit dürftig aufkeimen; man muß den bürgerlichen Freimuth suchen versteckt in einem Wust von Literatur- und Theaterklatsch, man hört den Sarkasmus absprechen über die höchsten Angelegenheiten des Volks und Staatswesens in dem Tone des scandalfrohen Salongeschwätzes. [...] dieses kokette Schönthun Heine's mit der deutschen Philosophie gegen den sauren Schweiß der Arbeit in Hegel's Schule, diese lockeren politischen Begriffe gegen Niebuhr's und Savigny's heiligen Ernst um die Erfassung der wahren Natur des Staates, diese wohlgemuthe Unkenntniß aller Geschichte gegen die mühselige weltumspannende Thätigkeit der deutschen Geschichtsschreibung, dieß flache Hinstreifen über die äußere Rinde des Neuesten in dem neuen Deutschland gegen das Minengraben der deutschen Alterthumsforschung, so muß man gleichwohl eingestehen, daß in den großen Kämpfen und fortschreitenden Strebungen der Zeit ohne die leichten und neckischen Scharmützel dieser Plänkler die wissenschaftliche Phalanx in ihrer schweren Mas-

senbewegung nur spät und kaum zu Gefecht gekommen und mehr
Hinderniß als Förderung gewesen wäre.

aus: Geschichte des 19. Jahrhunderts, Bd. III, Leipzig 1866, S. 180 f.

Wilhelm Dilthey: Über Heine (1876)

Dichter repräsentieren große Richtungen der Epochen. Stimmungen, die unausgesprochen ein Zeitalter bewegen, erlangen durch sie
Sprache und damit eine Macht, die wieder rückwärts verstärkend
wirkt. Ein pessimistischer Zug geht durch Frankreich, England und
Deutschland in der Zeit der politischen Restauration; damals lastete
auf allen Ländern eine Empfindung von der Leere und Zwecklosig-
keit des menschlichen Daseins, da die großen Fortschritte des
18. Jahrhunderts wieder gehemmt erschienen durch die Gewalt der
Regierungen. Den genialsten dichterischen Ausdruck fanden diese
Stimmungen in Lord Byron und in Heinrich Heine.

[...] Es muß gesagt werden, daß es in der ganzen europäischen Literatur weniges gibt, welches sich an Gemeinheit mit diesem ersten
Bande des Heineschen „Salon" vergleichen läßt. Hiermit war seine
politische Rolle zugleich herabgewürdigt, und diese Tatsache traf
zusammen mit der anderen, daß nunmehr überhaupt andere Cha-
raktere den Kampfplatz der Politik betraten mit einem Ernst und einer Wahrhaftigkeit, die mit Heines Verlogenheit und Frivolität einen grellen Kontrast bildeten. [...]

Die wunderbaren Laute, alle Tiefen der Naturempfindungen aus-
zusprechen, welche Heinrich Heine verliehen waren, bilden seinen
unvergänglichen, durch seine geschichtliche Lage entwickelten und
gesteigerten, aber über jede geschichtliche Bedingtheit hinausrei-
chenden Teil. Es gibt einen zweiten Bestandteil Heinrich Heines,
durch den er ein gewaltiger Faktor in den zerstörenden Mächten seiner Zeit gewesen ist. Dieser Bestandteil gehört der Kulturgeschich-
te, er gehört nicht zu dem bleibenden Besitz unserer Nation.

aus: Gesammelte Schriften, Bd. 15, Stuttgart 1961³, S. 205 f.

Karl Goedeke:
Grundriß zur Geschichte der deutschen Dichtung (1881)

Er [Heine] nahm der Poesie den Ernst wie die Heiterkeit und gab ihr
dafür den Spaß und die Grimasse. Er entband die Individualität von

der Beschränkung, welche die Sitte ihrer Bildung und die Kunst ihrem Ausdruck auferlegen. Indem er die Armseligkeit persönlicher, meist eingebildeter oder erlogener Geschicke zum Stoff der Dichtung machte, zog er sie in das Alltagsleben herunter, anstatt dies zu ihr emporzuheben. Er verwischte die Formen, welche Poesie und Prosa scheiden, und wie er in jene prosaische Stoffe einführte, mischte er in diese lyrische Ergüsse, über die er sich dann gewöhnlich wieder lustig machte. Er hat die Methode eingeführt, ernste Gegenstände zu behandeln, ohne ihrer mächtig geworden zu sein, und sich, da wo die Kenntnisse versagen, mit witzigen Seitensprüngen zu behelfen, um die Aufmerksamkeit abzulenken und anderweit zu beschäftigen. In allen diesen Dingen hat er eine große Menge von Nachahmern gefunden, die seine Manier ausbreiteten und dadurch mehr, als sie beabsichtigten, um ihren Ruf brachten. Sieht man gegenwärtig die Reihe seiner Schriften ruhig und unbefangen wieder durch, erschrickt man fast vor der geistigen Oede und Leerheit derselben und muß sich, um die Wirkung, die sie auf die Zeitgenossen gehabt haben, einigermaßen zu begreifen, daran erinnern, daß damals die Literatur der Stichwörter und Anspielungen im Schwunge war, die, wenn sie nur einen der vielen Gegenstände, welche der freien offenen Behandlung versagt waren, leicht anklingen ließ, ein vielstimmiges Echo fand. Sobald die Aufhebung der Censur den Schriftstellern, und die Freiheit der parlamentarischen Rede allen die unumwundene Erörterung aller politischen und kirchlichen Fragen gestattete, mußte die Geltung jener Literatur der Stichwörter und der Anspielungen und mit ihr die Wirkung Heines aufhören, dessen Schriften übrigens zur Herbeiführung besserer Zustände in keiner Weise mitgewirkt, wie man glauben machen möchte, sondern von dem Streben nach einer Neubegründung freier Zustände nur Vorteil gezogen haben. Er hat niemals einen positiven befreienden Gedanken aufgestellt, der sein Eigentum wäre; den durch alle seine Schriften durchlaufenden Gedanken, daß die Unsittlichkeit ein Recht auf Existenz habe, kann man weder einen freimachenden, noch einen positiven Gedanken nennen.

aus: Grundriß zur Geschichte der deutschen Dichtung, Bd. 3, Dresden 1881, S. 453.

Adolf Bartels: Geschichte der deutschen Literatur (1902)

Heinrich Heine ist in der That der unheilvollste Geselle, der im neunzehnten Jahrhundert nicht bloß durch die deutsche Literatur, sondern auch durch das deutsche Leben hindurchgegangen ist, er erscheint, wenn man seine Thätigkeit als Ganzes ins Auge faßt, durchaus als Seelenverwüster und -vergifter, als der Vater der Decadence, und zwar auf fast allen Gebieten, litterarisch, politisch, social.

Im Ganzen steht unser Urteil fest: Dieser fremde Dichter hat sich für alle Zeiten einen Platz in unserer Literatur erobert, aber einer von den Unsern ist er doch nicht, und sein Einfluß ist bis auf diesen Tag nur unheilvoll gewesen. Zwar auf unsere wahrhaft Großen, auf die Hebbel und Ludwig, Mörike und Annette Droste, Keller und Storm hat er entweder gar nicht oder doch nur ganz unbedeutend gewirkt, und seit dem jüngsten Sturm und Drang ist sein ästhetischer Einfluß in der Hauptsache überwunden, mögen auch moderne Juden und Judengenossen immer noch einmal heinisieren; leider aber noch nicht sein geistiger, da hält ihn die radikale Partei. Aber wir glauben auch hier an den Sieg deutschen Geistes, die Heinische Negation kann auf die Dauer kein Volk befriedigen, das sich bei aller geistigen Kühnheit die ewigen Grundlagen menschlich-sittlicher Existenz niemals hat erschüttern lassen, das das Volk Luthers, Goethes und Bismarcks ist. Bei den überhaupt zur Reife befähigten Deutschen hat die Verehrung Heines, des Dichters wie des „freien Geistes", in den letzten Jahrzehnten denn auch schon sehr stark abgenommen, man kann ihn vielfach überhaupt nicht mehr lesen. Das schließt natürlich nicht aus, daß er auf lange Zeit hinaus noch eine „interessante" Persönlichkeit, mit der man sich hier und da beschäftigt, bleibt.

aus: Geschichte der deutschen Literatur, Bd. II, Leipzig, 1902, S. 322 f.

Franz Mehring: Vorwort zu Heinrich Heines Werken (1912)

Außerordentlich interessant für den Sozialisten ist überhaupt Heines ganze Entwicklung seiner Weltanschauung in seiner Schrift „Deutschland", zumal in dem Teile, der die Geschichte der Religion und Philosophie behandelt. Hier betrachtet der Dichter die ganze philosophische Entwicklung in Deutschland unter dem Gesichtswinkel des Kampfes gegen das Entsagung predigende Christentum.

Diese Darstellung Heines ist nicht frei von mancherlei Ideologie, aber sie ist auch durchfunkelt von den Lichtblitzen eines genialen Ahnungsvermögens. Heine weiß auch sehr gut, woher der weltflüchtige Geist des Christentums stammt: er wurde geboren in einem Zeitalter furchtbarer Weltenwehen, angesichts des ungeheuren Elends, das der soziale Verwesungsprozeß des römischen Weltreichs über die Menschheit brachte. Und Heine weiß ebensogut, daß die Befreiung von dem Geiste des Nazarenertums letzten Endes eine soziale Frage ist: ,,Das endliche Schicksal des Christentums ist davon abhängig, ob wir dessen noch bedürfen." Und er hofft, daß das Bedürfnis nach dem seelischen Opiat einer Religion der Weltflucht mit der Verbreitung vernünftigerer Gesellschaftszustände verschwinden wird: ,,Die glücklicheren und schöneren Generationen, die, gezeugt durch freie Wahlumarmung, in einer Religion der Freude emporblühen, werden wehmütig lächeln über ihre armen Vorfahren, die sich aller Genüsse dieser schönen Erde trübsinnig enthielten, und durch Abtötung der warmen, farbigen Sinnlichkeit fast zu kalten Gespenstern verblichen sind. Ja, ich sage es bestimmt, unsere Nachkommen werden schöner und glücklicher sein, als wir. Denn ich glaube an den Fortschritt, ich glaube, die Menschheit ist zur Glückseligkeit bestimmt, und ich hege also eine größere Meinung von der Gottheit, als jene frommen Leute, die da wähnen, sie habe die Menschen nur zum Leiden erschaffen. Schon hier auf Erden möchte ich durch die Segnungen freier politischer und industrieller Institutionen jene Seligkeit etablieren, die nach der Meinung der Frommen erst am jüngsten Tage im Himmel stattfinden soll."

So ist Heine, wie kein anderer deutscher Dichter, der Prophet der geistigen und sozialen Menschheitsbefreiung gewesen, dessen Worte in den Herzen der Millionen Proletarier zünden, deren Erlösungsdrang sie in leuchtenden Visionen Ausdruck verleihen.

Aber während die Unzähligen, die in Heine den Künder ihrer Hoffnungen verehren, vor allem den Seher der großen sozialen Revolution schätzen, ist auch die Zahl der bildungseifrigen Arbeiter nicht gering, die auch den Dichter im eigentlichen Sinne lieben, und zwar nicht nur den stachlichen Satiriker, dessen Geißelhiebe noch heute Finsterlingen und Reaktionären Wutausbrüche entlocken, sondern auch den Lyriker, den Dichter der weichen Melancholie und der schmerzlichen Zerrissenheit sowohl, wie den modernen Catull, den graziösen Epigrammatiker flüchtig erhaschten Liebes-

glücks. Auch die nicht nur von antisemitischen Banausen, sondern auch von ernster zu nehmenden Literaten gemachte Entdeckung, daß Heines Lyrik in ihre innersten Wesen eigentlich „undeutsch" sei, vermag uns den unvergleichlichen Reiz der Heineschen Verse nicht zu trüben. Mag es wirklich so sein, daß Heines Art der Naturbeseelung eine ungermanische ist, die bestrickende Schönheit und Eigenart dieses Stils vermag kein Ehrlicher zu leugnen. Nun, der aller nationalen Borniertheit und allen Rassenvorurteilen abholde Gedanke der Internationalität, der dem sozialistischen Proletariat längst in Fleisch und Blut übergegangen ist, schützt es hinlänglich vor ästhetischen Kindereien solcher Art.

Überhaupt hat die zukünftige Literaturgeschichtsschreibung dem Phänomen Heine ziemlich ratlos gegenüber gestanden. Man vermochte diesen vielseitigen und in sich widerspruchsvollen Geist nicht so bequem in einem Schubfach unterzubringen, wie das die zopfige Pedanterie verlangte. Auch Lessing war ja Publizist und Poet zugleich, kritisches Genie und produktiver Künstler. Aber bei Lessing überwog immerhin der Gelehrte den Dichter, während bei Heine die ursprünglichste Poetengenialität dem kritisch-publizistischen Genie die Wage hielt. Schon diese ungewöhnliche Mischung der Gaben, aus der doch gerade die einzigartige Persönlichkeit Heines entsprang, verblüffte unsere literarischen Pedanten. Vollends in Bestürzung aber versetzte sie das revolutionäre Ungestüm dieses Publizisten, der aus den vorsichtigst formulierten philosophischen Theoremen unbekümmert die radikalsten Folgerungen für Leben und Gesellschaft zog. Das sozialistische Proletariat aber, so frei von kleinlichem Zelotismus es auch die Werke künstlerischen Schaffens nach ihrem künstlerischen Wert zu beurteilen versteht, liebt unter den Dichtern ganz besonders denjenigen, dessen Lieder nicht nur durch ihre Süße und Innigkeit die Seele bezwingen, sondern dessen schmetternder Hornruf noch heute das soziale Kampfgetümmel anfeuernd und siegverheißend übertönt.

aus: Heinrich Heines Werke, Bd. 1, Berlin 1912, S. 68 ff.

Wolfgang Lutz: Schluß mit Heinrich Heine! (1936)

Ich will nun versuchen, einige „wertvolle" Stücke Heinescher Lyrik herauszugreifen und an ihnen aufzuweisen, wie undeutsch Heine als Lyriker bis ins kleinste hinein ist, so undeutsch wie nur ein Jude eben es sein kann. – Und Heine wird sich da, das sei schon jetzt vorweggenommen, vollständig in seiner nackten jüdischen Unfähigkeit zeigen, schöpferisch zu wirken; er ist ein armseliger Stümper, der bar jedes echten künstlerischen Empfindens, selbst in dichterischen Kleinwerken nicht zu gehaltlicher und gestaltlicher Geschlossenheit, zu reiner (weil organischer, blutsmäßig deutschbedingter!) Harmonie von Gefühl und Reflexion – nach Hebbel die Grundelemente deutscher Lyrik – kommt. Und nach dieser Überprüfung erst erscheint uns Heine voll und ganz als *die,* allerdings hervorragend entwickelte, *fremdrassische Fratze,* die uns niemand mehr, auch nicht der allerhöchste Kathedergeheimrat mit goldigsten und salbungsvollsten Locktönen, als das Antlitz eines deutschen Dichters einzureden und vorzugaukeln sich unterstehen wird. [...].

So bleibt denn als Rest der ganzen Ballade von den „Grenadieren" nichts übrig als die Verherrlichung Frankreichs, Napoleons und eine ungeheuerlich freche, haßvolle Verhöhnung Deutschlands. Wie mußte eine derartige Verherrlichung in den Herzen aller guten Deutschen brennen, die vor wenigen Jahren eben erst mit heiliger Inbrunst zum Schwerte gegriffen hatten und glückhaft die Tyrannei des korsischen Zwingherrn über Deutschland abschüttelten. „Die Grenadiere" sind ein Faustschlag wider die deutsche Seele, ein Faustschlag mit solcher Unverfrorenheit versetzt, die dazu gehören würde, heute, 1936, das Treiben der schwarzen Truppen der interalliierten Mächte nach dem Weltkriege im Rheinland zu lobpreisen. [...]

Zum ersten: weil Heine kein Deutscher ist, hat er nie und nimmer in der deutschen Literaturkunde, die Ehrenhalle nur deutscher Dichter ist, in keinem Lese- und Lernbuch als deutscher Dichter Eingang zu finden und gar gefeiert zu werden. Unsere Literatur verliert dadurch so wenig, als eine herrliche, stämmige Buche, wenn man ihr einen alten verdorrten Buchenschwamm herunterreißt.

Zum anderen soll endlich alle Arbeit über den Fall Heine auf das allermindeste Maß eingeschränkt werden. Alle Kraft deutscher Forscher, die auf diesen Chaim Bückeburg, so wenig verlockend müßte

Heinrich Heine eigentlich heißen, wenn es keine unverständigen Polizeimaßregeln einstmals gegeben hätte, verschwendet und vergeudet worden ist, wäre auf wertvollere Aufgaben und Fragen, die die deutsche Literatur so reichlich stellt, besser aufgewendet. Künftig gilt deutsche Forschungsenergie deutschen Dichtern!

Zum dritten darf sich kein deutscher Verleger mehr finden, der zu den bisherigen zwei Dutzend Heine-Ausgaben noch eine weitere fügt, während gute deutsche Dichter in innerer Bangigkeit vergehen, weil ihnen kein Verleger beispringt.

aus: Nationalsozialistische Monatshefte, Jg. 7, 1936, S. 792–818.

Stephan Hermlin: Über Heine (1956)

Der 17. Februar erlaubt uns nicht nur, er fordert von uns Polemik. In der Tat, die Nachfolger der Liberalen, über die Heine vor mehr als hundert Jahren nicht müde wurde seinen Spott auszugießen – [...] sie haben es nicht leicht, einen Mann zu feiern, der sie Satz für Satz anklagt; kommt noch hinzu, daß sie diese Feier Seite an Seite, Arm in Arm zu begehen sich anschicken mit jenen, die Heine tödlich haßte, mit den Nachfahren jener üblen Teutomanen, für deren „mageren Rücken" Heine „das rote Eisen des Scharfrichters" gefordert hatte, als er das unglückliche Polen gegen Preußen verteidigte, und die er wie Kröten vom Kommunismus zertreten wissen wollte, sie, die seine Werke dem Scheiterhaufen überlieferten. Was soll diese neue Heilige Allianz innenpolitischer Art mit Heines zu hoher Dichtung emporgehobener deutscher Selbstkritik anfangen, da diese Selbstkritik die Negation ihrer eigenen negativen Existenz bedeutet? Sie werden Heine zu beschränken, die aus ihm hervortretenden Widersprüche als unlösbaren Ausdruck persönlicher Neigungen und Launen darzustellen, sein Dichtertum, wie schon so oft, zu verkleinern suchen zugunsten mittlerer Größen, deren gepriesene Innerlichkeit ihrem eigenen Dunst in so außerordentlichem Maße entspricht. Nicht reden werden sie diesmal von seinem angeblichen Mangel an Deutschheit, und zwar nur aus dem Grunde, weil ihre anrüchige demokratische Reputation es nicht zuläßt.

Dieser Gedenktag, der als ungeheures und unübersehbares Wahrzeichen und Warnzeichen in Deutschland aufgerichtet ist, an dem eine Nation wie kaum an einem anderen ihren zurückgelegten Weg

und ihre künftigen Aufgaben ablesen kann, wird von der Seite unserer Gegner im besten Falle nur eine Wiederholung all jener mit falscher Freundlichkeit verbrämten Verleumdungen sehen, die jene allein für ihre Urheber schmachvollen Scheiterhaufen von 1933 vorbereiteten. [...]

Immermann hat darauf hingewiesen, daß Heine jenes hatte, was das „erste und letzte beim Dichter ist, eine innere Geschichte". Gerade im Falle Heines wird deutlich, wieviel innere Geschichte mit Geschichte zu tun hat, in wie hohem Maße die Leiden der Zeit, die Befürchtungen, Wünsche und Auseinandersetzungen der Gesellschaft bei einem großen Dichter innere Geschichte werden. Der Schmerz seines Deutschtums und Judentums, die Illusionen der Zeit und ihre unablässige Überwindung durch die Ironie, seine unheimliche Einsicht in den Ablauf des gesellschaftlichen Entwicklungsprozesses, sein Erfassen der revolutionären Philosophie seiner Zeit, seine Auseinandersetzung mit Romantik und Tendenzpoesie – das alles wird mit seinen Reisen, seinen Liebesaffären, seinen Freund- und Feindschaften eben jene innere Geschichte, die ihn zum größten Dichter nach Goethe macht. Gerade wie sich dieses „erste und letzte" bei ihm bildete und zeigte, macht Heines Andenken so lebendig und fruchtbar, macht die Beantwortung der Frage Heine zur Beantwortung der Frage Deutschland. Heines Rang ergibt sich gerade daraus, daß er in einem Maße wie wahrscheinlich kein anderer deutscher Dichter zum nationalen Kriterium wurde. [...] Neben den elegischen Schmerz trat bei ihm ein bis dahin nie erhörter, tödlich zerschmetternder Zorn und Hohn. Die Partei des deutschen Chauvinismus, diese abscheuliche Ausgeburt historischer Überlebtheit, die als antifranzösische Partei aus dumpfer konterrevolutionärer Gesinnung erwuchs und schließlich die Partei des Herrenrassentums, des Deutschland-über-alles, des Antibolschewismus wurde, hat freilich Heine die vernichtenden Schläge nie verziehen, die er ihr zeit seines Lebens beibrachte. Schlimm genug, daß es diesen immer noch wuchernden Parasiten gelingen konnte, sich als die Partei des Nationalen, als die Nation schlechthin zu proklamieren. Ungestraft konnten sie den Mann verleumden, den ein Balzac zu gleicher Zeit den würdigsten Repräsentanten deutscher Poesie in Frankreich nannte, so wie sie später sein Andenken schändeten. [...] Dem deutschen Gedanken, in der Höhe, zu der ihn Heine, Marx und Engels erhoben haben, entspricht eine Republik, die in die Reihe neuer

Menschen-Staaten tritt, in denen uralter Hader geschlichtet wird, in denen Wahrheit und Schönheit sich für immer verbinden werden. Die Bürger der ersten deutschen Republik im Geiste Heinrich Heines grüßen an diesem Tag voller Ehrfurcht Heines Andenken, sie grüßen sein Grab in der Heldenstadt, die ihm, seinen Freunden und so vielen seiner Nachfolger Asyl bot, sie sprechen ihm nach ins Unsichtbare: Ruhm dir, Heinrich Heine, Dichter der Nation, Ruhm dem süßen Wohllaut und dem scharfen Clairon-Klang deiner Verse, Ruhm der zarten und festen Architektur deiner Prosa; Ruhm dir, du guter Deutscher, du Freund unseres brüderlichen Frankreichs, Held im Leiden, Soldat der Menschheit, Heinrich Heine, Ruhm dir und Dank.

aus: Sinn und Form, H. 1–3, 1956.

Jost Hermand: Das falsche Ärgernis.
Zur kritischen Heine-Ausgabe um einen Heine von heute bittend (1973)

Man sieht, sogar die Vorurteile seinem dichterischen Werk gegenüber sollten längst veraltet sein. Was Heine dennoch und trotz alledem so kontrovers erscheinen läßt, muß also noch tiefere Gründe haben. Grob gesprochen, ist es die bewußte oder unbewußte Aversion gegen die gründliche ,,Emanzipiertheit`` dieses Mannes. Und damit wird ein Komplex angesprochen, der manche seltsamerweise heute noch irritiert, ja geradezu neurotisch erregt.

Daß diese Gruppe recht beträchtlich sein muß, läßt sich leicht erraten. Denn zu ihr gehören alle jene Verklemmten, Frommen, Frustrierten, Autoritätsgeschädigten, Kriechlinge, Konformisten, Vereinsmeier, Stabilitätsnarren, Versorgungsfritzen, Status-quo-Diener, biedermeierlichen Winkelseelen und ideologischen Kellerasseln, die sich für ihre Versagungen mit Surrogaten wie ,,Gemüt & Glauben`` zu trösten versuchen, wie Heine im ,,Buch Le Grand`` selber schreibt, und die das ihnen verbleibende Restchen an Vernunft lediglich darauf verwenden, herauszutüfteln, wie sie sich durch jesuitische Heuchelei und geschickte Obrigkeitsanpassung am profitbringendsten verkaufen können. Von Jugend auf dazu angehalten, fraglos zu glauben, zu dienen, zu folgen, sich einzugliedern, treue Mitglieder der ,,formierten Gesellschaft`` zu werden, muß

Heine in seinem freiheitlichen Selbstbewußtsein diese Leute notwendig verunsichern.

Und das ist das Bestürzende und Anachronistische an dem ganzen Streit um Heine. Nach mehrmaligen Ansätzen und dem schließlichen Sieg der Demokratie in Deutschland fühlen sich manche offenbar immer noch durch die grundsätzliche Emanzipiertheit Heines und seine konsequente Freizügigkeit in allen politischen, geistigen, erotischen und religiösen Fragen zutiefst irritiert. Dabei sind das alles Ideale, über die man heute gar kein Wort mehr zu verlieren brauchte. Oder doch?

Wenn man Heine nicht akzeptiert, akzeptiert man auch die Demokratie in Deutschland nicht.

aus: Die Zeit 29, 13. VII. 1973.

d) Daten zu Heines Leben unter besonderer Berücksichtigung der „Reisebilder"

Die Auswahl soll der Orientierung für biographische, gesellschaftliche und politische Ereignisse dienen – dabei wird die Entstehung der „Reisebilder" besonders berücksichtigt. Grundlage ist die von Fritz Mende erstellte Heine-Chronik, Berlin/Ost, 1970.

1797 13. Dezember: Harry Heine wird in Düsseldorf geboren. Mutter: Betty van Geldern, Tochter des Arztes Gottschalk van Geldern. Vater Samson, Textilkaufmann. Heines Familie mütterlicherseits lebte schon seit mehreren Generationen in Düsseldorf – Ärzte, Gelehrte, Bankiers; die väterliche Seite stammte aus Norddeutschland – Bückeburg, Hannover, Hamburg, hauptsächlich Kaufleute.

1799 16. Februar: Das Herzogtum Berg – Hauptstadt Düsseldorf – geht nach dem Tode des Kürfürsten von Pfalzbayern, Karl Theodor, an Maximilian Joseph von Pfalz-Zweibrücken über.

1801 9. Februar: Frieden von Lunéville: Das linke Rheinufer.wird zu Frankreich geschlagen.

18. Juli: linksrheinische Gebiete gehören jetzt zur französischen Republik.

1803 Heine erhält Unterricht in der israelitischen Schule des Herrn Rintelsohn.

30. November: Maximilian Joseph von Bayern setzt Wilhelm von Bayern als Statthalter des Herzogtums Berg ein.

1804 18. Mai: Napoleon Bonaparte wird Kaiser der Franzosen.

1. August: Heine wird in die Normalschule (heute Grundschule) im ehemaligen Franziskanerkloster aufgenommen. Religionsunterricht erhält er weiter an der israelitischen Privatschule.

1805 2. Dezember: Napoleon siegt bei Austerlitz über eine österreichisch-russische Armee.

1806 15. März: Kürfürst Maximilian Joseph von Bayern tritt das Herzogtum
Berg an Frankreich ab.
20. März: Statthalter Herzog Wilhelm verläßt Düsseldorf.
24. März: Murat wird von Napoleon zum Herzog von Berg ernannt
und zieht in Düsseldorf ein. Französische Einquartierung auch bei der
Familie Heine.
14. Oktober: Preußen wird bei Jena und Auerstädt von Napoleon
bzw. Davoust geschlagen.
21. November: Napoleon erläßt das Dekret der Kontinentalsperre.
1807 7./9. Juli: Friedensvertrag zwischen Frankreich und Preußen bzw.
Rußland. Preußen wird territorial verstümmelt, Rußland beteiligt sich
an der Kontinentalsperre.
September: Heine tritt in die Vorbereitungsklasse des Lyzeums ein.
Rektor ist der katholische Geistliche Schallmeyer, ein Freund der Familie Heine.
1808 13. März: Dekret zur Reorganisation der Schule. Das Düsseldorfer
Lyzeum wird nach französischen Muster organisiert.
15. Juli: Murat wird König beider Sizilien, das Großherzogtum Berg
wird Napoleon direkt unterstellt.
31. Juli: Beugnot wird Vertreter Napoleons im Großherzogtum Berg.
1810 April: Heine wird in die untere Klasse des Lyzeums aufgenommen.
15. Oktober: Gründung der Berliner Universität.
27. Oktober: Finanzedikt Hardenbergs; mit dem Versprechen, Friedrich Wilhelm III. ,,eine zweckmäßig eingerichtete Repräsentation der
Nation" zu gewähren. Das Versprechen wird in der Verordnung über
die Landstände in Preußen vom 22. V. 1815 wiederholt. Es wurde nie
in dieser Form eingelöst.
1811 6. Oktober: Heine wird in die obere Klasse des Lyzeums aufgenommen.
2. November: Heine sieht Napoleon durch die Königsallee reiten; Napoleon hielt sich vom 2. bis 5. November in Düsseldorf auf.
17. November: Das Großherzogtum Berg erhält ein Gerichtswesen
nach französischem Muster; die Rechtsgleichheit aller Bürger wird
hergestellt.
1812 Heine ist in der Oberklasse des Lyzeums, er nimmt an den Philoso-
phiekursen des Rektors Schallmeyer teil.
11. März: Edikt über die Judenemanzipation in Preußen.
24. Juni: Napoleons Feldzug gegen Rußland beginnt.
29. September: Heine wird in die philosophische Klasse des Lyzeums
aufgenommen; Themen bei Schallmeyer sind Logik, Kritik der philosophischen Systeme.
19. Oktober: Rückzug Napoleons aus dem brennenden Moskau.
1813 25. März: Aufruf von Kalisch, der König von Preußen und der russische Zar versprechen die deutsche Einheit.
16.–19. Oktober: Völkerschlacht bei Leipzig.
Ende Oktober: Düsseldorf wird von den Franzosen geräumt.
1814 29. September: Heine verläßt ohne Reifezeugnis das Gymnasium – er
soll Kaufmann werden.

14. Oktober: Eine französische Verordnung gibt allen zwischen 1791 und 1801 in Düsseldorf Geborenen das Recht, in Frankreich zu leben – Optionsrecht.

1815 1. März: Napoleon landet an der Riviera.

8. Juni: Begründung des Deutschen Bundes – 34 Monarchien und vier Freie Städte.

18. Juni: Napoleon wird bei Waterloo geschlagen.

22. Juni: Napoleon dankt endgültig ab.

September: Heine soll in Frankfurt eine Lehrzeit beim Bankier Rindskopf antreten, diese wird kurz darauf abgebrochen.

1816 6. Juni: Heine beginnt eine kaufmännische Lehre im Bankhaus seines Onkels Salomon Heine in Hamburg.

27. Oktober: Heine beklagt sich in einem Brief über die abweisende Haltung seiner Cousine Amalie und über den Krämergeist Hamburgs.

1817 Heine arbeitet weiter in dem Bankhaus seines Onkels.

18. Oktober: Wartburgfest der deutschen Studenten.

7. Dezember: In Preußen werden alle studentischen Verbindungen aufgehoben.

1818 Mai: Salomon Heine richtet seinem Neffen Harry Heine ein Manufakturwarengeschäft ein – vorwiegend englische Tuche; Heine bemüht sich wenig um sein Geschäft.

1819 Februar/März: Die Geschäfte von Vater Heine in Düsseldorf und Harry Heine in Hamburg werden liquidiert. Harry soll Jura studieren, wobei ihn Salomon mit jährlich 400 Talern unterstützen will.

1. August: Teplitzer Punktation; Preußen und Österreich beschließen die Demagogenverfolgung, Friedrich Wilhelm III. will sein Verfassungsversprechen vorläufig nicht einhalten.

September: Heine reist nach Bonn, um sich auf die Aufnahmeprüfung vorzubereiten.

18. Oktober: Heine nimmt an einem Fackelzug der Studenten auf den Kreuzberg teil – Jahrestag der Völkerschlacht bei Leipzig.

26. November: Heine wird vom akademischen Gericht wegen der Ereignisse am 18. Oktober verhört. Bekanntschaft mehrerer Burschenschaftler.

11. Dezember: Heine wird immatrikuliert; er hört neben juristischen Vorlesungen auch Geschichte und Literatur.

1820 Heine lernt den romantischen Theoretiker Professor August Wilhelm Schlegel kennen.

März: Er besucht das Kloster Nonnenwerth und das Rolandseck.

4. April: Beginn des Sommersemesters; Heine hört neben Jura auch Literatur und Geschichte.

Mai: Rheinfahrten nach Godesberg.

15. Juni: In einem Brief berichtet Heine über Schlegels Lob, seine literarischen Produkte betreffend.

10. September: Bonner Exmatrikulation.

4. Oktober: Göttinger Immatrikulation.

Ende Dezember: Heine wird aus der Burschenschaft in Göttingen ausgeschlossen.

1821 27. Januar: Heine wird wegen eines verbotenen Duells für ein halbes
Jahr von der Göttinger Universität relegiert.
1. Februar: Beginn des griechischen Aufstandes gegen die Türkei.
Mitte Februar: Heine sieht während eines Besuchs in Hamburg seine
Cousine Amalie wieder – diese ist inzwischen mit dem Gutsbesitzer
Jonathan Friedländer verlobt.
4. April: Berliner Immatrikulation.
24. April: Beginn des Sommersemesters. Vorlesungen in Jura, Geschichte, Literatur und Philosophie (Hegel).
Mai: Heine lernt durch den Salon der Rahel Varnhagen von Ense bedeutende Persönlichkeiten des literarischen Lebens in Berlin kennen.
5. Mai: Napoleon stirbt auf St. Helena.
Juli: Heine lernt den Freundeskreis von E. T. A. Hoffmann und
Grabbe kennen.
15. August: Amalie Heine heiratet Jonathan Friedländer.
September: Der Herausgeber der literarischen Zeitschrift „Der Gesellschafter" vermittelt Heine den Verleger Maurer für Heines ersten Ge-
dichtband.
15. Oktober: Beginn des Wintersemesters; Heine hört Jura, Geschichte, Literatur, Philosophie.
20. Dezember: Es erscheint der Band „Gedichte".
29. Dezember: Neben anderen literarischen Größen schickt Heine
auch Goethe einen Band „Gedichte".

1822 Im Frühjahr bis Sommer erscheinen im „Rheinisch-Westfälischen An-
zeiger" Heines Korrespondenzberichte aus Berlin „Briefe aus Berlin".
4. August: Heine wird Mitglied des „Vereins für Kultur und Wissenschaft der Juden".
7. August: Heine reist nach Polen aufgrund einer Einladung seines pol-
nischen Freundes Eugen von Breza.
Oktober: Salomon Heine will Harry Heine noch zwei Jahre das Studium bezahlen.
21. Oktober: Beginn des Wintersemesters, Vorlesungen wie bisher,
dazu kommen Sanskritstudien.
Ende Oktober: Heine besucht Hegel.

1823 Januar: Im „Gesellschafter" erscheint Heines Reisebericht „Über Polen".
1./7. April: Heine äußert sich distanziert zu jüdischen Reformbewe-
gungen und plant „Memoiren" zu schreiben. Er will nach Paris reisen.
9. April: Bei Dümmler erscheinen „Tragödien nebst einem Lyrischen
Intermezzo".
Mai: Er sendet Exemplare an Hegel u. a.
18. Juni: Neue literarische Pläne: u. a. eine venezianische Tragödie.
22. Juli: Heine reist an die Nordsee – Salomon Heine hatte ihm eine fi-
nanzielle Unterstützung gegeben.
22. August: Eine begonnene Helgolandreise muß wegen schlechten
Wetters abgebrochen werden.
27./30. September: Heine plant sein Studium in Göttingen zu beenden,
will zum Christentum übertreten, um in den Staatsdienst aufgenom-

men zu werden. Gespanntes Verhältnis mit seinem Onkel Salomon.

27. November: In einem Brief berichtet er wieder von Memoirenplänen.

24. Dezember: Berliner Exmatrikulation.

1824 30. Januar: Göttinger Immatrikulation.

Februar: Heine hört jetzt vorwiegend juristische Vorlesungen.

2. Februar: In einem Brief an seinen Freund Moser betont Heine seinen Entschluß, als Jurist seinen Lebensunterhalt zu verdienen.

29. Februar: Heine hat die Arbeiten an dem Venedig-Stoff abgebrochen.

6. April: Heine reist nach Berlin, um literarische Kontakte zu pflegen.

5. Mai: Er kehrt nach Göttingen zurück, beginnt mit Vorarbeiten zu einem jüdischen Thema im Mittelalter – „Rabbi von Bacharach".

15. Juni: Heine erklärt Studienfreunden gegenüber seine Abwendung von der Romantik.

16. Juli: Plant einen „Faust" als Gegenstück zu dem Goetheschen zu schreiben.

Mitte September: Heine beginnt eine Fußwanderung durch den Harz; zuerst Nordheim, Osterode dann Clausthal.

18. September (?): Besichtigung der Gruben „Dorothea" und „Karolina", dann weiter nach Goslar.

20. September: Heine besteigt den Brocken, dann Übernachtung im Brockenhaus.

21.–27. September: Abstieg nach Ilsenburg, Werningerode, Elbingerode, Rübeland, Eisleben, Halle.

28. September: Besuch bei dem gefürchteten Literaturkritiker Müllner in Weißenfels.

29./30. September: Naumburg, Jena.

1. Oktober: Ankunft in Weimar.

2. Oktober: Besuch bei Goethe

3.–7. Oktober: Erfurt, Gotha, Eisenach, Wartburg, Kassel.

11. Oktober: Rückkehr nach Göttingen.

November: Heine arbeitet an der Harzreise.

1825 16. April: Heine meldet sich zur Promotion.

3. Mai: Er besteht das juristische Examen mit der Note III. Die Harzreise wird fertiggestellt.

Mai: Gespräche mit dem protestantischen Pfarrer Grimm in Heiligenstadt betr. Taufe.

28. Juni: Taufe.

20. Juli: Heine promoviert zum Doktor der Rechte – Disputation über 5 Thesen in lateinischer Sprache.

Ab. 13. August: Erholungsaufenthalt auf Norderney.

Mitte September bei seinen Eltern in Lüneburg.

12. Oktober: Heine äußert in einem Brief seine Absicht, sich als Rechtsanwalt in Hamburg niederzulassen.

23. November: Brief an den Herausgeber des „Gesellschafter" mit der Bitte, die „Harzreise" in dieser Zeitschrift zu veröffentlichen.

14. Dezember: Plant, an der Berliner Universität Vorlesungen zu halten.

16. Dezember: In einem Brief an seinen Berliner Freund Moser berichtet er von einem Plan, Ostern ein „Wanderbuch, 1. Theil" herauszugeben.

1826 Heine wohnt in Hamburg, er lernt den Verleger Campe kennen.

Februar: Vertrag mit Campe über „Reisebilder. Erster Theil".

Mitte Februar: Arbeit an der Buchfassung der „Harzreise".

Mitte Mai: „Reisebilder. Erster Theil" erscheinen.

24. Juli: Heine reist in das Seebad Norderney.

8. August: Plant Deutschland, vor allem wegen des Antisemitismus, zu verlassen.

20. September: Heine verläßt Norderney und kommt drei Tage später in Lüneburg bei seinen Eltern an.

14. Oktober: Berichtet Moser über „Ideen. Das Buch Le Grand" – ein „selbstbiographisches Fragment".

1. November: Er arbeitet an „Ideen. Das Buch Le Grand" und „Nordsee III".

Mitte November: Schreibt an Christiani über die entstehenden Werke: „... aux armes! aux armes! dröhnt es mir immer in die Ohren – Alea jacta est".

16. Dezember: Er kündigt gegenüber Lehmann an, daß in den „Reisebildern" (II) „er frei und edel spreche, und das Schlechte geißle".

1827 10. Januar: Kündigt seine Ankunft in Hamburg an. Le Grand „wird viel Lärm machen... durch die großen Weltinteressen, die es ausspricht. Napoleon und die Französische Revolution stehen darin in Lebensgröße."

14. April: „Reisebilder" (II) erscheinen – am selben Tag reist Heine nach London.

11. Mai: Varnhagen von Ense empfiehlt dem Baron von Cotta, größter Verleger zu der Zeit, Heine als Berichterstatter zu engagieren. Ende Mai: Heine erhält das Angebot, Redakteur für Cotta in München zu werden.

1. Juni: Heine will „Liberalenhäuptling" in Bayern werden.

5. Juni: Die Akropolis wird von den Türken gestürmt.

16. August: Heine reist über Holland (?) nach Norderney.

24. September: Heine trifft wieder in Hamburg ein.

Ende Oktober: Er reist über Göttingen, Kassel, Frankfurt, Heidelberg und Stuttgart nach München. Auf der Reise trifft er die Gebrüder Grimm, Börne, Menzel.

Ende November: Ankunft in München.

26. Dezember: Sein Verleger Campe erinnert an den geplanten dritten Band der „Reisebilder" und rät nach Italien zu reisen.

1828 1. Januar: Heine tritt seine Stelle als Redakteur der „Neuen allgemeinen politischen Annalen" an.

15. Januar: Seinem Freund Detmold gegenüber beklagt er die Münchener Verhältnisse, seine Feinde sieht er in den „Pfaffen" und den konservativen Dichtern.

März: Im „Morgenblatt für gebildete Stände" erscheinen die „Englischen Fragmente", dann in den „Annalen".

April: Er besucht viel das Theater, verkehrt in Malerkreisen; von Schenk soll ihm eine Professur an der Universität München besorgen.

1. April: Heine berichtet Varnhagen: „. . . ich mache mich bereit, nach Italien zu reisen. Es sieht hier schlecht aus; seichtes kümmerliches Leben, Kleingeisterei . . .".

18. Juni: Cotta soll ein Exemplar des „Buchs der Lieder" und der „Reisebilder" (I und II) dem König bei seiner Audienz überreichen.

28. Juli: von Schenk stellt einen Antrag beim König – betr. außerordentlicher Professur Heines.

4. August: Heine verläßt München in Richtung Süden

6. August: Innsbruck

10. August: Trient

12. August: Verona und Amphitheater

14. August: Mailand

16. August: Marengo

3. September: Lucca

5. September: Er siedelt in die Bagni di Lucca über.

6. September: In einem Brief an Moser umschreibt er seinen Zustand: „Meine Liebe für Menschengleichheit, mein Haß gegen Klerus war nie stärker wie jetzt, ich werde fast dadurch einseitig . . .". Heine arbeitet an der „Reise von München nach Genua".

Anfang Oktober: Er erfährt von der schweren Erkrankung seines Vaters.

1. Oktober: Heine trifft in Florenz ein.

November: Er erfährt von dem gescheiterten Plan der Münchener Professur; der Gesundheitszustand seines Vaters verschlechtert sich.

Ende November: Heine verläßt Florenz, um zu seinem Vater zu fahren.

2. Dezember: Samson Heine stirbt in Hamburg.

Dezember: Im „Morgenblatt für gebildete Stände" erscheint die „Reise von München nach Genua".

27. Dezember: In Würzburg erfährt Heine vom Tod seines Vaters.

1829 10. Januar: Heine trifft in Hamburg ein.

20. Februar: Heine reist nach Berlin, um dort eine Anstellung als Privatdozent zu erhalten.

Februar: Er trifft in Berlin Cotta, Meyerbeer und arbeitet an den „Reisebildern"(III).

30. Mai: Er berichtet Moser von den „Reisebildern"(III): „Du wirst sehen, daß ich nicht im Gleise der alten Manier, sondern in einer neuen, freien Form weiterschreibe . . .". Er will mit seinen Feinden „Abrechnung halten".

Juni: Heine erfährt, daß Platen in dem „Romantischen Ödipus" Heine verspottet.

15. Juni: Heißt es in einem Brief an Moser: „. . . ich hoffe, daß mein diesjähriger Feldzug gegen Pfaffen und Aristokraten besser ausfällt als der russische."

23. Juli: Heine trifft in Hamburg ein, er hat die „Bäder von Lucca" abgeschlossen.

Dezember: Die Polemik gegen Platen wird ausgearbeitet.

25. (?)Dezember: „Reisebilder. Dritter Theil" erscheinen.

1830 Januar: Heine rechtfertigt sich mehrmals wegen der Platenpolemik und bittet Freunde um positive Rezensionen.

4. Februar: Er dankt Varnhagen für die positive Meinung und schreibt: „Der Schiller-Goethesche Xenienkampf war doch nur ein Kartoffelkrieg, es war die Kunstperiode, es galt den Schein des Lebens, die Kunst, nicht das Leben selbst – jetzt gilt es die höchsten Interessen des Lebens selbst, die Revolution tritt ein in die Literatur und der Krieg wird ernster..."

25. Juni: Er reist nach Helgoland. Pläne für den vierten Band der „Reisebilder".

25. Juli: Karl X. erläßt in Frankreich die Ordonnanzen, sie lösen die Julirevolution aus.

29. Juli: Die Aufständischen haben Paris in ihrer Hand. Lafayette befehligt die Nationalgarde.

31. Juli: Louis-Philippe, Herzog von Orléans, wird Statthalter.

9. August: Der Herzog von Orléans wird König in Frankreich.

19. August: Heine reist von Helgoland nach Cuxhaven.

Ende August/Anfang September: Es kommt in verschiedenen deutschen Städten zu revolutionären Unruhen.

Oktober: Heine arbeitet in Hamburg an den „Reisebildern" (IV) besonders „Die Stadt Lucca".

19. November: Heine berichtet Varnhagen über „Reisebilder" (IV): „Das Buch ist vorsätzlich so einseitig. Ich weiß sehr gut, daß die Revolution alle sozialen Interessen umfaßt und Adel und Klerus nicht ihre einzigen Feinde sind... Wenn mein Buch dazu beiträgt, in Deutschland, wo man stockreligiös ist, die Gefühle in Religionssachen zu emanzipieren, so will ich mich freuen und das Leid, das mir durch das Geschrei der Frommen bevorsteht, gern tragen."

Ende Dezember: Heine bemüht sich in Hamburg vergeblich um die Stelle eines Ratssyndikus.

1831 Anfang Januar: „Reisebilder" (IV) erscheinen.

e) Auswahlbibliographie

(In den angegebenen – leicht erreichbaren – Titeln ist jeweils weiterführende Literatur zu finden)

1. Forschungsbericht
Hermand, Jost, Streitobjekt Heine. Ein Forschungsbericht, Frankfurt/Main 1975.

2. Monographien

Galley, Eberhard, Heinrich Heine, Stuttgart 1976[4].

Windfuhr, Manfred, Heinrich Heine, Revolution und Reflexion, Stuttgart 1976[2].

3. Heines „Reisebilder"

Betz, Albrecht, Ästhetik und Politik, Heinrich Heines Prosa, München 1971.

Großklaus, Götz, Textstruktur und Textgeschichte, Die „Reisebilder" Heinrich Heines. Eine textlinguistische und texthistorische Beschreibung des Prosatyps, Frankfurt 1973.

Heine, Heinrich, Historisch-Kritische Gesamtausgabe der Werke, hrsg. von Manfred Windfuhr, Bd. 6: Briefe aus Berlin, Über Polen, Reisebilder I/II, bearbeitet von Jost Hermand, Hamburg 1978 – darin besonders die Abschnitte zur Entstehung und Aufnahme und die entsprechenden Kommentare.

Loewenthal, Erich, Studien zu Heines „Reisebildern" Berlin/Leipzig 1922 (Reprographischer Nachdruck New York/London 1971).

Pabel, Klaus, Heines „Reisebilder", Ästhetisches Bedürfnis und politisches Interesse am Ende der Kunstperiode, München 1977.

4. Heine im Deutschunterricht

Hasubek, Peter, Ausbürgerung – Einbürgerung? Heinrich Heine als Schullektüre. Ein Beitrag zur Rezeptionsgeschichte, in: Heinrich Heine, Artistik und Engagement, Hrsg. Wolfgang Kuttenkeuler, Stuttgart 1977.

Merkelbach, Valentin, Heinrich Heine in Lesebüchern der Bundesrepublik, in: Diskussion Deutsch, H. 35 (1977).

5. Apparat für den Kursunterricht in Sekundarstufe II

Altenhofer, Norbert (Hrsg.), Dichter über Dichtungen. Heinrich Heine, München 1971 3 Bde.

Behrens, Wolfgang u. a. (Hrsg.), Der literarische Vormärz 1830–1847, München 1973.

Heinemann, Gerd (Hrsg.), Heinrich Heine. Ein Arbeitsbuch mit Primärtexten und Materialien zur Rezeptionsgeschichte, Frankfurt 1976.

Hermand, Jost (Hrsg.), Das junge Deutschland. Texte und Dokumente, Stuttgart 1966.

Obermann, Karl (Hrsg.), Einheit und Freiheit. Die deutsche Geschichte von 1815–1849 in zeitgenössischen Dokumenten, Berlin 1950.

Pöls, Werner (Hrsg.), Deutsche Sozialgeschichte. Dokumente und Skizzen, Bd. 1 (1815–1870), München 1973.

Pross, Harry (Hrsg.), Historisches Lesebuch 1: 1915–1871, Frankfurt 1966.

Vaßen, Florian, (Hrsg.), Restauration, Vormärz und 48er Revolution, Stuttgart 1975, Bd. 10 der Reihe: Die Deutsche Literatur. Ein Abriß in Text und Darstellung.

Reihe
INTERPRETATIONEN
Begründet von Rupert Hirschenauer und Albrecht Weber,
fortgeführt von Bernhard Sowinski und Helmut Schwimmer